Cuéntame una historia

Tomo Cinco

R. L. BERRAN © R. & H.

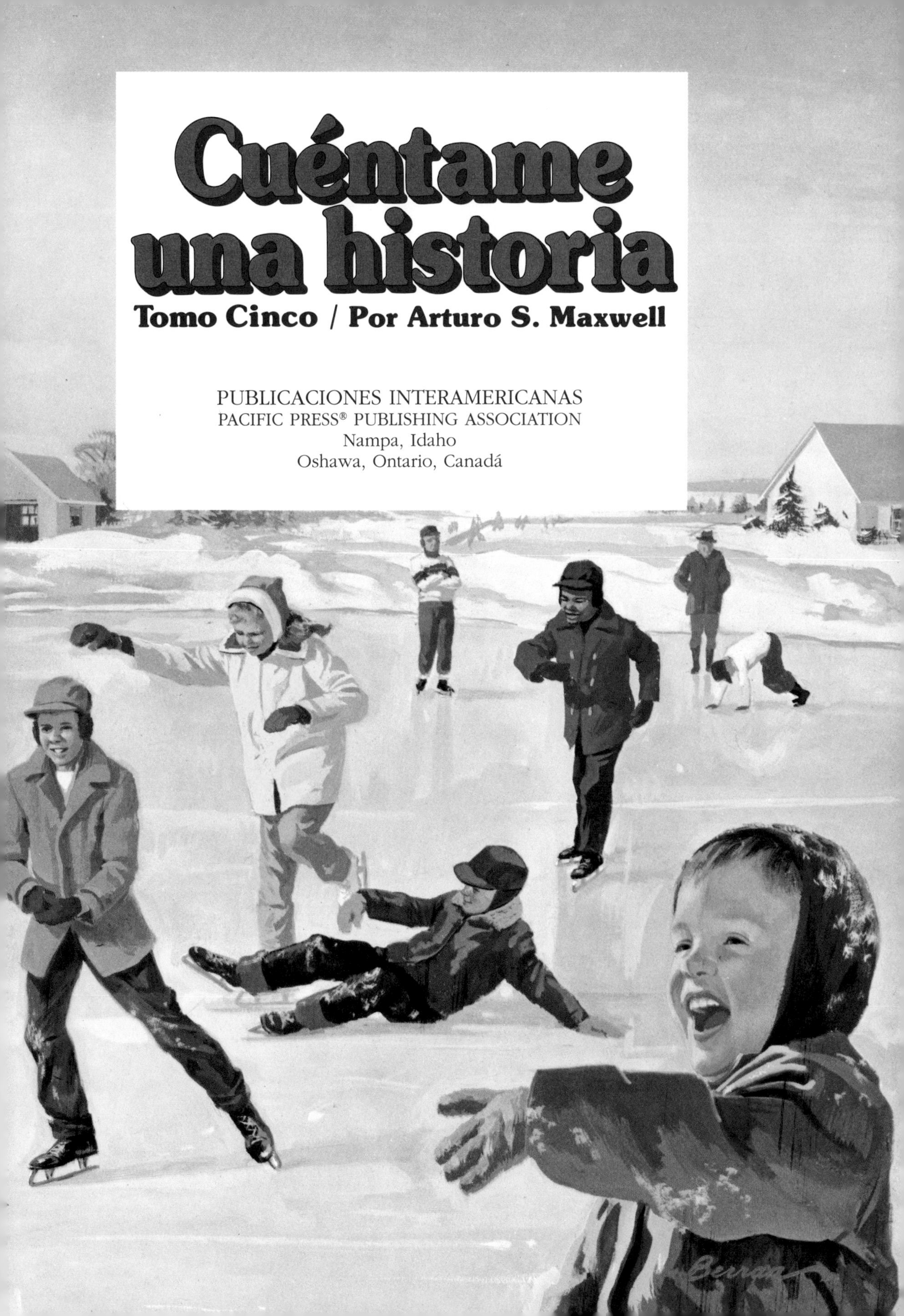

Cuéntame una historia

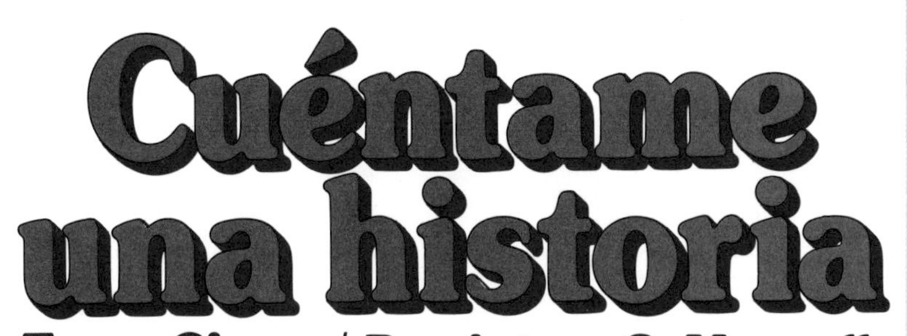

Tomo Cinco / Por Arturo S. Maxwell

PUBLICACIONES INTERAMERICANAS
PACIFIC PRESS® PUBLISHING ASSOCIATION
Nampa, Idaho
Oshawa, Ontario, Canadá

EDITADO E IMPRESO POR
Publicaciones Interamericanas, división hispana de la Pacific Press® Publishing Association, P. O. Box 5353, Nampa, ID 83653, EE. UU. de N. A.
Première édition: Quatrième réimpression, 1993
19 500 exemplaires en circulation
ISBN 0-8163-9992-1

OFFSET IN U.S.A.

Contenido

Indice Temático

Los artistas que participaron en la ilustración de este tomo son: Harry Anderson, Harry Baerg, F. W. Brouard, Fred Collins, Kreigh Collins, William Dolwick, Thomas Dunbeblin, Jack Gourley, Arlo Greer, Russ Harlan, William Heaslip, William Hutchinson, Howard Larkin, Elfred Lee, Manning de V. Lee, Robert Mangus, Gerald McCann, John Steel, Harold Stitt, y Jack White. Portada de John Steel.

HISTORIA **1**

El Pequeño Laboratorio de Dios

EL EXTRAÑO nombre que Jorge le dio al lugar en que hizo todos sus experimentos fue El Pequeño Laboratorio de Dios. ¡Y qué buen nombre para el taller o "laboratorio" de cualquier muchacho!

Fue precisamente en ese laboratorio, trabajando con Dios, como Jorge inventó toda clase de cosas maravillosas, y arrancó múltiples secretos de la naturaleza, con gran paciencia y mucha oración. Del humilde cacahuate (maní) extrajo más de trescientos productos: "leche", jabón, sopa, tinturas para madera, lubricantes para maquinarias, helados (nieve) y azúcar. Y teniendo como base la batata produjo almidón, vinagre, tinta, pasta para calzado, jabón, goma de pegar, encurtidos, aceite comestible, toda clase de tinturas para madera y cientos de otras cosas útiles. Además, con las arcillas del Estado de Alabama, pintó hermosos cuadros.

También ideó métodos para combatir las pestes de las plantas, para producir maíz y algodón de mejor calidad, y para hacer más productivas las granjas.

Jorge nació en 1864, un año antes de que terminara la Guerra de Secesión, en los Estados Unidos, una guerra civil que por poco deja permanentemente dividido el país. Desde pequeño conoció las tristezas de la vida. Cuando todavía era

El Dr. George Washington Carver en su laboratorio, al cual llamaba el Pequeño Laboratorio de Dios.

FOTO DE P. H. POLK. TUSKEGEE INSTITUTE.

un bebé, su padre, un esclavo de la hacienda de Moisés Carver, en el Estado de Misuri, murió en un accidente. Poco después él y su madre fueron raptados por los famosos "traficantes nocturnos de esclavos" de aquellos tristes tiempos. Se pudo hallar a Jorge, que fue traído de vuelta a la casa de los Carver, pero no a su madre, la cual nunca apareció.

La señora Carver, a quien él llamaba "tía Susana", recogió en su casa con amor al huerfanito. Como era pequeño y enfermizo y no podía realizar los trabajos que se suponía debían hacer los muchachos de su edad, ella le enseñó a coser y a tejer.

Desde su tierna edad, Jorge se interesó en las plantas y en las flores. En los bosques cercanos plantó un pequeño "jardín secreto" donde experimentó a su manera con plantas. Aprendió a cuidar de las plantas enfermas, y tenía un modo tan maravilloso de restaurarlas, que pronto fue conocido como "el pequeño doctor de las plantas".

Amaba todo lo que pertenecía al mundo natural. A veces

se dormía por la noche con un ramo de flores en la mano. Otras veces metía, a hurtadillas, sapos, ranas y otros animales en su dormitorio.

Se lo pasaba preguntando por el nombre de cuanta cosa encontraba en los bosques, pues cada piedra, cada insecto o flor que veía era objeto de su curiosidad.

Siendo todavía muy joven, mientras estaba de visita en la casa de un vecino, por primera vez en su vida vio un cuadro que lo impresionó mucho. "¿Quién hizo esto? —preguntó. Y cuando le dijeron que lo había hecho un artista, comentó—: Yo quiero hacer algo así algún día".

Desde entonces se pasaba pintando. El mismo se hacía los colores de sus pinturas con bayas, raíces o corteza de árboles, y luego pintaba con ellas sobre latas, trozos de vidrio, pedazos de tablas, piedras chatas y cualquier otra superficie lisa. Esto, como su "jardín", lo hacía secretamente.

¡Y cuánto anhelaba ir a la escuela! Pero donde vivía no había escuela para los niños negros, y la más próxima quedaba a unos trece kilómetros. Ante la mucha insistencia del niño, finalmente, los Carver consintieron que asistiera a ella, cuando tenía diez años de edad. La noche que llegó a la escuela durmió en un granero, donde había ratas que corrían a su alrededor. Por la mañana temprano, estando él sentado en

una pila de troncos de leña, hambriento y solitario, la señora Watkins, una mujer de corazón bondadoso, que lo vio, sintió piedad por él y le dio un buen desayuno. Después lo invitó a que se quedase en su casa mientras asistiera a la escuela. También le enseñó a orar y a amar la Biblia. Aun a los ochenta años de edad, Jorge continuaba leyendo la Biblia que ella le regaló.

No conociendo su verdadero apellido, el primer día de clase Jorge adoptó el apellido Carver, el mismo de los dueños de la hacienda de la cual él procedía. Estudiaba mucho, lo cual le gustaba inmensamente. Tenía verdaderas ansias de aprender. Cuando sonaba la campana para los recreos, libro en mano, saltaba él la cerca que dividía la escuela de la casa de la señora Watkins, y colocaba el libro encima de la bañera para poder leer mientras la limpiaba. Cuando volvía a sonar la campana para indicar que el recreo terminaba, se secaba rápidamente las manos y volvía a saltar la cerca para entrar a clase. Al regresar de la escuela ayudaba a la señora Watkins en todo lo que había que hacer, y luego se ponía a leer otra vez.

Sin embargo, no todas las lecciones las aprendía en la escuela. Algunas llegó a aprenderlas por experiencia, como el día en que tuvo que cuidar un almácigo de lechuga. Una gansa que tenía varios gansitos estaba tratando de invitar a sus hijitos a comer la tentadora lechuga de la huerta. Jorge estaba encargado de mantener los gansos a distancia. Pero éste al ver a los otros niños jugando, se fue a jugar con ellos, y se olvidó completamente de la lechuga y los gansos. Cuando se quiso acordar, ¡toda la lechuga había desaparecido! ¡Los gansos se habían dado una gran fiesta con ella! Jorge los corrió, enojado, hasta la laguna, pero en su enojo y apresuramiento perdió el equilibrio y se cayó. Ese día, pues, aprendió la lección de que debía ser más responsable con las cosas que le encomendaban.

Cuando tenía trece años se dirigió hacia un lugar llamado Fort Scott, donde quería seguir estudiando. Pero como allí había que pagar la colegiatura, después de algunas semanas en la escuela tuvo que abandonar sus estudios y ponerse a trabajar para poder ganar dinero con que pagarse el siguiente

término escolar. Era difícil hacerlo, y cualquier muchacho se hubiera desanimado; pero no Jorge.

Para ganar el dinero necesario, trabajaba en las casas de la gente lavando platos, aserrando madera, barriendo el patio. Durante el verano trabajaba en las granjas y a veces, cuando tenía suerte, en algún vivero de plantas. ¡Entonces sí se sentía feliz!

Con el tiempo se encontró en Minneápolis, Estado de Kansas. Allí le enseñaron a lavar y a planchar, y aprendió a hacerlo tan bien, que más adelante pidió un préstamo y estableció su propia lavandería. Con el tiempo descubrió que había otro Jorge Carver en el pueblo, un hombre blanco, que era precisamente el cartero. Entonces decidió añadirse otro apellido, Washington; así que, de ahí en adelante, su nombre completo fue Jorge Washington Carver, sin que él imaginara que ese nombre un día sería famoso en todo el mundo.

Mientras tanto Jorge seguía avanzando con sus estudios. Finalmente se sintió listo para realizar estudios superiores. Quiso inscribirse en la Universidad de Highland y lo aceptaron. Muy contento, vendió su pequeño negocio de lavandería y se lanzó a esa gran aventura. Pero, ¡oh desgracia! Cuando llegó le dijeron que en la Universidad de Highland no se aceptaban estudiantes negros.

Jorge sintió que su mundo se desplomaba. Este era el golpe más duro que había recibido. Toda su alegría se desvaneció para él, que tanto había anhelado estudiar y aprender... ¿Por qué no le permitían hacerlo? Le habían cerrado la puerta.

Trató de trabajar como agricultor en el Estado de Kansas, pero no tenía ni la fortaleza física ni el dinero necesarios. Y todo el tiempo sentía un gran pesar en el corazón. Solo, triste y desalentado, buscó consuelo en los animales. Pronto, todos los caballos que pasaban por donde él estaba lo miraban como implorándole que les diera un poco de pasto en la mano o un terrón de azúcar.

Aquellos fueron días oscuros, pero mientras tanto él aprendía cosas que lo ayudarían en El Pequeño Laboratorio de Dios.

Pasaron los años. Jorge decidió ir nuevamente hacia el este, tal vez para establecer un invernadero y cultivar flores y otras plantas. Viajaba mientras le alcanzaba el dinero; luego se detenía y volvía a ponerse a trabajar en lo que fuera, para luego viajar otro trecho, y repetir lo mismo.

Un día, hallándose en el Estado de Iowa, mientras planchaba una camisa, le sucedió algo interesante. Había estado pensando: "Yo no puedo, yo no puedo", cuando de pronto le pareció que alguien le decía:

—Es mejor que vuelvas a estudiar.

—Pero yo no puedo —contestó él.

—¡Sí! ¡Tú puedes! —insistió la voz.

En ese momento Jorge dejó a un lado la plancha, se asomó a la ventana que estaba abierta, y se quedó mirando hacia afuera. Finalmente, dijo en voz alta:

—¡Bueno, entonces *puedo!*

Al instante le pareció como que el gran peso que llevaba sobre sus hombros se había aligerado. Sin más, vendió sus pocas posesiones y se dirigió hacia el Colegio de Simpson, con la esperanza de que no le cerraran las puertas allí.

Fue aceptado, y pronto comenzó a atraer la atención de sus profesores por su mente alerta y su profundo deseo de aprender. La profesora de arte quedó maravillada al ver la calidad de sus dibujos y pinturas e hizo todo lo que pudo para animarlo a seguir pintando.

Para pagarse sus estudios, Jorge abrió otra vez un negocio de lavandería. Lavó, prácticamente, todo el tiempo que estuvo estudiando en ese colegio. Era una vida muy difícil, pero él estaba feliz. ¡Ahora podía aprender!

¿Y qué haría después de terminar sus estudios allí? ¿Qué pasaría con su plan de dedicarse a la agricultura, él que amaba tanto la naturaleza? Luego de pensar un poco, decidió ir al Colegio de Agricultura del Estado de Iowa, en Ames.

Llegó allí sin un centavo. En efecto, no tenía nada más que su fe. Así que comenzó a trabajar, esta vez como mesero en la cafetería. Allí le tocaba servir las mesas de los otros estudiantes, pero él mismo debía comer en el sótano porque era negro. Mientras tanto, ¡seguía aprendiendo! Ahora estudiaba botánica y química, dos materias que le gustaban muchísimo porque le revelaban algunos de los misterios de la naturaleza que tanto había querido conocer. ¡Dios le estaba mostrando algunos de sus secretos! Estaba en camino de establecer un pequeño laboratorio.

Pasaron cuatro años, y Jorge recibió la licenciatura en ciencias. Fue el primer negro graduado en el Estado de Iowa. Un profesor lo calificó como uno de los estudiantes más brillantes y uno de los observadores de la naturaleza más agudos que había conocido. ¡Jorge se merecía todo eso!

En 1896 Booker T. Washington, director del Instituto de Tuskegee, Alabama, lo invitó como profesor en su colegio. Desde entonces se estableció una hermosa amistad entre los

dos grandes hombres, y su labor conjunta fue conocida en el mundo entero. (Ver la historia N.º 30 del tomo 2 de esta colección.)

Y naturalmente, Jorge llevó consigo, al nuevo lugar, todo el conocimiento que había adquirido con tanto sacrificio. Sin embargo, había más cosas que aprender. Por ejemplo, en el nuevo colegio había plantas y flores que él nunca había visto antes. Pronto comenzó a preguntarles a los muchachos: "¿Qué planta es ésta? ¿Y esta otra? ¿Y aquélla?" Pero ellos no siempre sabían. Entonces decidió que entre él y los alumnos, hallarían la respuesta.

Llegó el día cuando no había, en los alrededores, ninguna planta, ni flor, ni semilla, ni insecto, que él no pudiera identificar.

Una vez, tres jóvenes de esa universidad decidieron ponerlo a prueba para ver si realmente sabía los nombres de todas las plantas. Así que trajeron una gran cantidad de plantas y un libro en el que se daban sus nombres científicos, y a continuación le fueron mostrando planta por planta para que él diera sus nombres. Cada vez ellos miraban en el libro para ver si él estaba en lo cierto. Como el tiempo pasaba, el doctor Carver se cansó del "examen", y tomando todas las plantas de una vez, comenzó a dar sus nombres comunes y sus nombres científicos en latín. Los jóvenes se quedaron maravillados del enorme conocimiento del maestro.

Y ahora comenzó lo que él llamó El Pequeño Laboratorio de Dios. A este lugar trajo toda clase de plantas, de tierras, arcillas, insectos, y los estudió pacientemente hasta saber todo lo que podía de cada uno de ellos. De esta manera descubrió el remedio para las mismas, y estuvo en condición de enseñarles a los agricultores cómo obtener cosechas de mejor calidad y más productivas. Muchas veces éstos le enviaban una muestra del terreno que tenían y le preguntaban qué pasaba que no producía. El encontraba la causa y entonces les enseñaba qué hacer para que produjera más.

Al oír el gobierno de Washington acerca de ese extraño laboratorio, decidió enviar algunas personas para que vieran de qué se trataba. De ahí en adelante, más de una vez, invitaron al doctor Carver a la capital del país. Algo que llamó especialmente la atención de muchos fueron los folletos que escribía. Notemos algunos de sus títulos: *"Cuarenta y tres maneras de salvar la cosecha de las ciruelas silvestres"*, o *"Ciento cinco maneras de preparar el cacahuate para el consumo humano"*.

Aun antes de terminar sus estudios acerca del cacahuate, había provisto a la región sur de su país con un comercio anual de aproximadamente doscientos millones de dólares. Una vez, varios congresales lo invitaron para que hablara diez minutos sobre el cacahuate. El se llevó consigo todos los productos que había elaborado con ese oleaginoso, y los senadores quedaron admirados cuando se los mostró. Pero tenía tanto que decir, que habló por una hora y cuarenta minutos. Con todo, le pidieron que continuara todavía.

Tanto Edison, el famoso inventor, como Henry Ford, el fundador de la compañía del mismo nombre, le ofrecieron grandes sumas de dinero para que fuera a trabajar con ellos. Pero él no quería dinero. Le bastaba con ayudar a su manera a la gente. Pocos años antes de su muerte, dio todo el dinero que había ahorrado, para fundar el museo Jorge Washington Carver. Y allí, hasta el día de hoy, los visitantes pueden ver algunas de las cosas maravillosas que ese genio hizo en El Pequeño Laboratorio de Dios. También se puede ver el modesto equipo que usó; por ejemplo, algunas botellas rotas, una taza, un mortero y un tintero con una mecha que le servía de lámpara. Con elementos tan simples como éstos pudo fabricar seda con la corteza de los olmos, soga con la fibra del maíz, papel con quingombó (planta malvácea). Y un milagro tras otro fueron produciéndose en aquel pequeño laboratorio, todo porque este gran hombre humilde, desde muchacho, sintió que estaba trabajando en sociedad con Dios.

El 5 de enero de 1943 todo el mundo se entristeció al saber que Jorge Washington Carver acababa de morir. El pequeño esclavo que había trabajado tan duramente para poder asistir a la escuela, y que luego trabajó arduamente, a medias con Dios, en aquel humilde laboratorio, estaba descansando al fin. Pero porque trabajó, no para sí mismo, sino para los demás, su recuerdo perdura en todo el mundo.

Hay algo que me dice que Dios lo estará esperando con un laboratorio más grande y más hermoso en aquel mundo nuevo, donde todos los que lo amen explorarán las maravillas de la naturaleza por los siglos sin fin de la eternidad.

HISTORIA **2**

¡Viene el Policía!

RODOLFO estaba sentado en un banco del parque leyendo un libro. Del otro lado del banco, dos muchachos, sucios y desprolijos, platicaban bulliciosamente y de tanto en tanto arrojaban alguna piedra en el lago.

De repente uno de ellos se levantó y dio un grito de alarma.

—¡Mira! ¡Viene un policía!

—Escapémonos —dijo el otro.

Sin más, los dos salieron corriendo a toda velocidad, mientras Rodolfo se preguntaba qué habrían hecho de malo los muchachos, y si el policía los perseguiría.

Pero éste no los persiguió. Tal vez los vio correr, pero no les prestó atención. Tampoco apresuró el paso. Siguió caminando con la misma calma, haciendo su ronda por el parque, como si los dos muchachos no hubieran existido.

Después de un rato, cuando el policía estuvo fuera de la vista, los dos muchachos volvieron y se sentaron exactamente en el mismo lugar en que habían estado antes.

Picado por la curiosidad, Rodolfo preguntó:

—¿Por qué salieron corriendo cuando vieron que venía el policía?

—Siempre nos escapamos —dijo uno de los muchachos—. A los policías no les gusta ver muchachos como nosotros. Y si los ven, los encierran en la cárcel aunque parezcan buenos.

—¿Y quién les dijo eso? —les preguntó Rodolfo sonriendo.

—Los muchachos grandes de la escuela —contestó el otro muchacho como para terminar el asunto.

—Pero díganme —quiso saber Rodolfo—, ¿ustedes hicieron algo malo como para tenerle miedo al policía?

—¿Eh? No, no hicimos nada malo. Estábamos solamente jugando —explicó el primer muchacho.

—Yo no entiendo —se mostró extrañado Rodolfo—. Si ustedes no hicieron nada malo, ¿por qué escaparon? Si él estuviera buscando a un ladrón y viera que ustedes corren como escapando, pensaría que ustedes son los culpables. Y si siguen escapando cuando él les dice que se detengan, puede hasta dispararles un tiro. Si no hicieron nada malo, no tienen por qué tenerle miedo a ningún policía.

—Es que tú no los conoces —dijo el segundo muchacho,

con aire de saberlo todo—. Si tú los conocieras, también saldrías corriendo.

—No, yo no lo haría —se rió Rodolfo—. No hay razón por la cual deba escaparme al ver un policía. La mayoría de las veces son buenos. Mira, aquí viene otra vez.

Y eso fue lo mismo que si Rodolfo hubiera dicho: "Viene un león, o una boa constrictora", porque el efecto difícilmente hubiera sido peor.

Los dos muchachos miraron alrededor, aterrorizados.

—¡Huyamos! —urgió uno.

—No, no —trató de disuadirlos Rodolfo—. Quédense aquí. No les pasará nada. El no les hará nada.

Pero ellos igual escaparon.

—Escóndanse detrás de aquellas plantas —les dijo Rodolfo, siguiéndolos con la vista—, y observen lo que sucede.

Para su sorpresa, los muchachos se dirigieron al lugar que él les había indicado y desaparecieron.

Pocos minutos más tarde el policía se acercó.

Mientras pasaba junto al banco donde Rodolfo estaba sentado, éste lo saludó amistosamente:

—Lindo día, señor, ¿verdad?

—Sí —dijo el policía, sonriéndole a su vez a Rodolfo—. Es un día muy lindo. Veo que tienes un buen libro allí. ¿Te gusta?

—Sí, señor —dijo Rodolfo—. Es muy interesante. —Y comenzó a hablarle acerca del libro.

Para su admiración, los dos muchachos, que estaban fisgando por entre las plantas, vieron que el policía se había sentado. Y también, que no le había pasado nada a Rodolfo. El sol continuó brillando en el cielo, y los patos, nadando en el lago.

Después de unos pocos minutos, el policía se levantó y explicó que debía continuar con su ronda, diciéndole a Rodolfo adiós con la mano.

Apenas se hubo ido, abriéndose paso entre los arbustos, aparecieron los dos muchachos.

—¡Pero no te ha llevado preso! —exclamó sorprendido

uno de ellos.

—¡No! —se rió Rodolfo—. Naturalmente que no. El no me estaba buscando. El busca a los que quebrantan la ley. Los policías son solamente seres humanos. Si ustedes los respetan, ellos los tratarán bien a ustedes.

Y yo creo que Rodolfo tenía razón. Como el trabajo de los policías requiere que estén entre mucha gente que hace cosas malas, ellos aprecian doblemente cuando los niños y las niñas son corteses, respetuosos y amables y dicen la verdad.

Además, también tienen buen corazón. Hace algunos años, vi en Londres cómo un policía detenía el tránsito mientras, tomándola del brazo, ayudaba a una pobre anciana a cruzar la calle. Ningún automóvil se movió hasta que la ancianita hubo cruzado, sana y salva, al otro lado de la calle.

Y observen al policía que aparece en la página siguiente, haciendo su trabajo en la ciudad de Nueva York. Un día muy frío de invierno, tenía las manos y los pies completamente fríos, mientras se hallaba parado en medio de la nieve dirigiendo los automóviles, camiones y ómnibus que marchaban

en distintas direcciones. Pero ¿saben ustedes? En medio del tráfico vio a un perrito. El pobre animalito estaba rodeado de gran peligro porque, como se movía lentamente por causa del frío, cualquier automóvil podía matarlo. No había nadie que pareciera ser el dueño o dueña del animalito.

El policía sintió piedad por él, y deteniendo el tránsito por algunos momentos, fue a recogerlo.

¿Pero qué hacer con él? No podía dejarlo del otro lado de la calle, en la acera, porque el perrito moriría de frío, y por otra parte, si el animalito corría hacia donde estaba él haciendo su trabajo, algún coche podría pisarlo. Además, tampoco podía dárselo a ningún hombre o mujer que pasara por allí, porque su trabajo requería que llevara a todo perro perdido a la jefatura de policía. Pero él no podía dejar de dirigir el tráfico.

¡En qué problema se vio! Y todavía tenía que trabajar una hora más.

Entonces, ¿qué creen ustedes que hizo? La fotografía lo dice todo. Tomó el perrito, lo metió debajo de su capa, y lo tuvo allí con una mano, mientras que con la otra dirigía el tránsito.

Sí, como les dije antes, los policías siempre actúan bien en favor de los demás. Y si ustedes cumplen con la ley y no la quebrantan, ellos a su vez serán buenos amigos de ustedes también.

Sosteniendo el perrito debajo de su capa con una mano, con la otra el policía dirigía el tráfico.

FOTO INTERNATIONAL

HISTORIA **3**

Demasiado Tarde

POR QUE Elmer siempre llegaba tarde de la escuela, no lo sé. Simplemente llegaba tarde. Y cuando la madre le preguntaba por qué, él no podía explicarlo.

Naturalmente, a veces tenía una buena excusa. Tal vez su maestra lo había detenido un rato, o se había pinchado una de las llantas de su bicicleta, o había habido un accidente de tráfico y él quiso saber cómo había ocurrido. Cuando sucedía algo así, la madre generalmente le decía: "Está bien, querido. Esta vez tú no pudiste hacer otra cosa; de acuerdo, pero ¿qué es lo que te detiene tanto otras veces?" En realidad, Elmer no lo sabía tampoco. Probablemente se ponía a vagar, o se detenía a hablar con sus amigos. En cualquier caso, pasaban los preciosos minutos y Elmer llegaba a casa tarde una hora, o aun más. Y después se preguntaba por qué su madre no estaba conforme con su comportamiento y por qué las tardes eran tan cortas y no podía jugar.

La mamá le había hablado vez tras vez a Elmer acerca de la importancia de ser puntual. Le había dicho que si no aprendía a ser puntual temprano en la vida, este mal hábito se convertiría en una debilidad de carácter que afectaría toda su vida. Pero era lo mismo que si le hubiera hablado a un

poste, porque Elmer no reaccionaba. Al día siguiente venía otra vez tarde, con una buena excusa o sin ella.

La mamá estaba segura de que alguna vez Elmer iba a aprender la lección. Y tenía razón. La cosa sucedió no mucho después de la última vez en que hablaron acerca del problema.

Una tarde, el padre de Elmer regresó del trabajo muy contento, y se le ocurrió la idea brillante de invitar a su familia para una salida.

—¡Vengan! —invitó—. Apronten sus cosas y vamos. ¡Apresúrense!

—¿Qué pasa? —preguntó la madre, que debía ahora dejar lo que estaba haciendo para entrar, en un minuto , en el nuevo plan de la familia para ese día.

—Tengo toda la tarde libre hoy —dijo el padre—, y quiero llevarlos a la orilla del mar. Ya he telefoneado para hacer reserva en el restaurante junto al muelle, y tenemos una mesa para nosotros cuatro junto a la ventana, mirando hacia el mar. Así que, no perdamos un minuto.

Muy contenta, la mamá bajó las escaleras para ponerse su vestido de salir, y le dijo a Luisita, su hija, que hiciera lo mismo, lo más rápido posible. Los siguientes minutos fueron un agitado ir y venir por la casa.

Entonces la mamá recordó a Elmer, especialmente porque en ese momento oyó que, abajo, llamaban al niño:

—¡Elmer! ¡Elmer! ¿Dónde estás, Elmer?

—Lo siento —dijo la madre— pero todavía no ha vuelto de la escuela.

—¿Que no ha vuelto todavía? —se molestó el padre—. ¿No es que debe estar en casa a las cuatro?

—Sí —vaciló un poco la madre—, pero...

—¡Las cuatro en punto! —fijó la hora de salida el padre—. Es decir, faltan solamente cinco minutos. Espero que esté a tiempo en casa. No podemos esperar a nadie. Tenemos reservación en el restaurante. Y ustedes dos ¿están más o menos listas?

—Sí —dijo la mamá casi sin resuello—. Estaremos listas en seguida.

La mamá tenía la secreta esperanza de que Elmer llegaría a tiempo. Pero Elmer no llegó.

El papá le dio quince minutos de gracia, y la mamá suplicó por otros cinco más. Pero a las cuatro y veinticinco el papá había perdido la paciencia.

—¡Yo no espero ni un segundo más! —decidió en un tono que, según la mamá comprendió, era terminante—. Si este muchacho no puede estar a tiempo en casa, como se supone que lo esté, tendrá que aprender la lección.

Media hora más tarde Elmer llegó en su bicicleta. Se dirigió hacia la puerta de atrás, como de costumbre, y al tratar de abrirla se dio cuenta de que estaba cerrada con llave. Entonces probó la puerta del frente, pero también estaba cerrada.

—¡Qué curioso! ¿No? —se dijo—. Me pregunto qué pasa. Fue a buscar la llave que tenían siempre afuera en un lugar secreto. Al entrar, se encontró con una nota sobre la mesa de la cocina, que decía: "Nos hemos ido a la orilla del mar. Comeremos en el restaurante junto al muelle. Lamentamos que no estuviste en casa a tiempo. Te hemos estado esperando más de media hora, pero no pudimos esperar más.

"Con cariño,
Mamá".

Elmer leyó la nota dos o tres veces. Entonces, como no había nadie, se echó sobre el sofá y rompió a llorar. ¡Pensar que todos se habían ido a la orilla del mar sin él, y que comerían en el muelle! ¡Y con la hermanita! ¡Y que ella pudo ir y él no! ¡Si sólo hubiera vuelto a tiempo de la escuela!

Y ésa fue una larga, muy larga tarde, para Elmer, por lo cual tuvo tiempo para reflexionar acerca de sus hábitos. Repetidamente pensó en lo que la mamá le había dicho en cuanto a no perder el tiempo ni llegar tarde a la casa. Recordó cómo ella le había predicho que algún día algo iba a suceder que lo haría sentirse muy triste.

Precisamente, eso había ocurrido. Pero no iba a suceder otra vez. ¡No, señor! Esa fue la última vez que volvió tarde de la escuela.

HISTORIA **4**

Demasiado Confiado

—OSCAR —llamó la madre—, tú no te has olvidado de lo que tienes que decir en la iglesia, ¿verdad?

—¿Qué tengo que decir?

—Tú sabes, esa historia acerca del misionero que fue al Africa y que hizo tantas cosas maravillosas en favor de la gente allí. Seguramente tú lo recordarás. El director de la sociedad de jóvenes te dio el papel la semana pasada.

—¡Oh! ¿Eso? —comentó Oscar, restándole toda importancia—. Eso es fácil. Lo puedo aprender en un abrir y cerrar de ojos.

—Pero tienes solamente dos semanas —advirtió la madre—, y quiero que digas tu parte bien.

—¡Dos semanas! —exclamó Oscar—. Yo no necesito dos semanas para aprender unos pocos renglones. Dos días me alcanzan y sobran.

—Está bien —concedió la madre—, pero no te confíes.

Una semana más tarde, la mamá le volvió a recordar lo dicho:

—¿Y cómo anda lo que tienes que decir el viernes de noche?

—Oh, no te preocupes por eso —trató de tranquilizarla Oscar—. Todavía tengo mucho tiempo.

—Ojalá que así fuera —dijo la madre, sacudiendo la cabeza.

Y los días se sucedieron, esos preciosos días en que Oscar debía haber estado aprendiendo lo que le tocaba decir.

Finalmente llegó el jueves de noche, la noche anterior a la reunión en la cual Oscar debía presentar su parte.

—¿No crees que sería conveniente que practiquemos los dos esta noche? —sugirió la mamá.

—¿Practicar qué?

—Lo que tienes que decir. Tú sabes, lo que vas a decir mañana en la reunión.

—¡Oh, qué cosa! —empezó a preocuparse Oscar—. Me había olvidado completamente del asunto. ¿Sabes? He estado tan ocupado toda la semana... Pero no me llevará mucho tiempo. Y de paso, ¿dónde está el papel?

Naturalmente, no pudieron encontrarlo; esto es, no lo encontraron hasta que madre e hijo poco a poco habían dado vuelta la casa. Finalmente, la madre lo encontró en la papelera, donde alguien lo había arrojado por error.

Oscar le dio una rápida mirada.

—Esto no será difícil —otra vez alardeó—. Lo aprenderé

para mañana de noche. No te preocupes.

Pero el viernes fue un día muy ocupado también, y Oscar no tuvo mucho tiempo para aprender su parte como lo había planeado. Sin embargo, tenía confianza de que "todo marcharía bien". ¿Acaso no le había ido bien muchas otras veces antes, y con muy poca preparación? Después de todo, era solamente para la reunión de los jóvenes, y no habría mucha gente; así que, ¿qué importaba si cometía un error o dos?

Sin embargo, cuando Oscar llegó a la iglesia aquella noche, se dio cuenta que estaba completamente llena. Se había olvidado de que era una noche muy especial, el aniversario de cierto misionero. Naturalmente que había sido anunciado, pero él no había prestado atención. Ahora, dirigiendo una mirada a la iglesia llena de gente, pensó que ojalá hubiera dedicado más tiempo para aprender su parte. Se preguntaba si realmente la sabía lo suficiente como para decirla. Enton-

ces comenzó a sentir como que le corría calor y frío por todo el cuerpo. También sentía una sensación extraña en el estómago. Y deseó con toda el alma poder dejar la iglesia y alejarse de allí.

Pero no podía hacerlo, pues estaba sentado en la fila del frente. Los oficiales más importantes de la iglesia lo miraban desde la plataforma, y él se sentía como en una cárcel.

El pobre Oscar traspiró mientras se cantaba el primer himno, se hacía la oración, se leía la Biblia y se cantaba el segundo himno. El director del programa introdujo las partes, y se presentó la parte especial de música. Finalmente oyó que alguien mencionaba su nombre.

—Nos alegramos —dijo el director— de contar entre nosotros a Oscar esta noche. Aunque todavía es muy joven, él nos ha presentado algunas partes en otros programas, y estamos contentos y orgullosos de tenerlo otra vez con nosotros. ¡Oscar!

Oscar se dirigió hacia adelante y miró a la concurrencia.

¡Qué mar de caras! Nunca había visto tanta gente en la iglesia.

Entonces comenzó. Tratando de aparentar calma, anunció el título de su pequeño discurso. Luego se apresuró a decir las primeras líneas. Notó que algunas personas mayores se sonreían como si dijeran: "¡Qué muchacho amoroso! ¡Qué bien puede decir su parte!"

Entonces, de pronto, su mente quedó en blanco. Era como si estuviera andando en bicicleta y repentinamente el camino se le hundiera dejándolo caer en un profundo y oscuro precipicio.

"El misionero —balbuceó—, el misionero... este... el misionero...".

Pero no podía acordarse qué cosa había hecho el misionero. ¡Si tan siquiera alguien se lo "soplara", es decir, se lo recordara por lo bajo! El había tenido la intención de darle el papel a la mamá, para el caso de que necesitara ayuda; pero estaba tan seguro de sí mismo, que no lo había hecho.

Y ahora, estaba perdido, miserablemente perdido.

"El misionero... este... el misionero..." —probó otra vez.

Pero de nada valió. No podía recordarlo. Así que, rojo hasta las orejas, bajó de la plataforma y se dirigió rápidamente a su asiento.

El director, sin saber bien qué hacer, carraspeó, tosió y decidió anunciar el himno siguiente.

—¡Qué lástima! —lamentó la madre, en camino a la casa—. Y precisamente hoy cuando había tanta gente.

—Lo sé —murmuró Oscar desde las profundidades de su desesperación—. No me digas más nada. No me lo menciones más. Tú tenías razón.

Fue una lección difícil para Oscar. Muy difícil, pero le hizo bien. Nunca más dejó para la víspera la preparación de lo que tenía que decir o hacer. No. De ahí en adelante, tomaba todo el tiempo necesario para aprenderlo a la perfección.

HISTORIA **5**

Francisco, el Despreciativo

POR SI ustedes se preguntaran qué quiere decir la palabra despreciar, lo voy a explicar en seguida. Significa rebajar, desdeñar a los demás, dando a entender que las cosas buenas que hacen son más pequeñas de lo que realmente son.

Y esto es precisamente lo que Francisco hacía todo el tiempo. Naturalmente, no con las cosas que él hacía. Porque lo que él hacía, lo magnificaba hasta el infinito. Pero cuando se trataba de las cosas que realizaba su hermana, o de las que llevaban a cabo los otros niños y niñas en la escuela, él las despreciaba, rebajándolas tanto como podía. Parecía que detestaba reconocer que alguien, que no fuera él, pudiera hacer algo bueno.

Si cualquier muchacho hacía un gol, por ejemplo, él decía: "Bueno, eso no fue ninguna hazaña; yo he hecho muchos más goles que él". Pero cuando el gol lo hacía él, ah, entonces sí, corría a la casa diciendo: "He hecho muchos goles hoy".

Si una niña de su clase obtenía una nota alta en cualquier materia de la escuela, él comentaba: "Fue pura suerte. Ya verán cómo se saca una nota bien baja en todo lo demás. De todas maneras, no es una buena alumna". Pero si él obtenía una buena nota, oh, entonces sí, por lo que decía, uno pen-

saría que acababa de obtener un doctorado, por lo menos. "Y, papá, sabes que éste fue un examen dificilísimo. El maestro dijo que era el examen más difícil que se haya dado en toda la historia de la escuela", comentaba.

Siempre era lo mismo. Aumentando todo lo que él hacía; disminuyendo y despreciando todo lo que hacían los demás.

Un día el padre tomó un dibujo que había en la mesa de la sala.

—¿Quién dibujó esto? —preguntó—. Evidentemente tenemos algún futuro artista en la familia. ¿Lo hiciste tú, Francisco?'

—¿Eh?... No... Es de mi hermanita... No está demasiado mal, ¿verdad? Pero... yo creo que ella lo calcó.

—¡No, yo lo hice! —gritó Susana, acercándose al lugar de la escena—. Yo lo dibujé sola, papá.

—Te creo —dijo el padre—. Y está muy bien hecho. Felicitaciones, hija. Debes continuar dibujando; quizá algún día puedas convertirte en una pintora famosa.

—¡Mi hermana una pintora famosa! —se burló Francisco—. ¡Ja, ja! ¡Eso sí que es interesante! Mi hermanita con sus dibujitos, una famosa pintora.

—Ahora, mira, Francisco —levantó la voz el padre, irritado—. Me estoy cansando de cómo siempre desprecias todo y a todos.

—Yo no desprecio a nadie —protestó Francisco.

—Sí, desgraciadamente lo haces —reafirmó el padre—. Solamente escúchate a ti mismo por algunos minutos y ve si no tengo razón. Y entonces, escucha al muchachito de los Rodríguez. El siempre trata de decir algo bueno de los demás. Nunca lo vas a oír jactándose por lo que él hace.

—Ah, pero él es una "nena" —objetó Francisco—. No juega bien al fútbol, no...

—Ahí estás otra vez —le reprochó el padre—. Justo como te lo había dicho. No puedo mencionarte el nombre de alguien sin que tú comiences a rebajarlo. Y, sabrás que el hijo de los Rodríguez no es una "nena". Es un buen muchacho, amigable, dispuesto a ayudar, y eso es mucho más importante que ser capaz de hacer un buen gol.

Francisco permaneció en silencio. Estaba pensando. ¿Tendría razón su padre? ¿Era él un despreciativo?

—Francisco —propuso el padre—, ¿por qué no tratas por unos días de aumentar, o engrandecer, no lo que tú haces, sino lo que los otros hacen? Creo que a todos los demás les gustaría mucho.

—Tal vez él podría comenzar ahora mismo conmigo —sugirió la hermanita, con una sonrisa de picardía—.

—¡Eso sería demasiado! —rechazó Francisco.

Sin embargo, no era tan difícil como él lo había supuesto. La próxima vez que su hermana dibujó algo, él le dijo cuanta cosa positiva vio en eso, y eso mismo cambió su manera de pensar.

—¿Sabes, hermana? —reconoció por fin—, hay algo bueno en tus dibujos. Realmente me gustan. Tú tienes un verdadero talento para el dibujo y la pintura. Quizá papá tenga razón; tal vez tú llegues a ser una gran dibujante o pintora algún día.

La hermana recibió tal sorpresa, que por poco se cae de su asiento. Era demasiado esperar tanto cumplimiento de parte de Francisco.

—¡Francisco! —exclamó ella alborozada—. ¿Lo dices de verdad? ¡Pero si esta es la cosa más linda que jamás me hayas dicho!

Y saltando sobre sus pies le dio un beso.

Ahora el sorprendido era Francisco.

—¡Eh! ¡No me beses! —gritó.

Pero secretamente estaba contento de que la hermana le expresara su cariño. Y desde entonces trató de reconocer las cosas positivas de los demás, y lo hacía con todo entusiasmo, sintiéndolo de veras. Y, naturalmente, eso tuvo muy buen efecto.

Con el tiempo la gente comenzó a decir: "¡Qué cambio ha habido en Francisco! Ya no es el muchacho jactancioso que despreciaba a los demás y que se pasaba diciendo cosas lindas sólo de sí mismo. Está mucho mejor, parece otro".

La idea que el padre de Francisco le dio a su hijo puede ser repetida a todos los niños y niñas. Nunca disminuyamos a los demás; por el contrario, apreciemos las cosas buenas que ellos hacen.

HISTORIA **6**

Ojos Eléctricos

COMO un agasajo muy especial, el abuelo había llevado a Juanita a la ciudad. Iban a pasar un día mirando vidrieras, y a comer en algún lugar lindo.

Cuando llegaron a la entrada principal de un gran comercio, Juanita apretó el botón de una puerta, la que se abrió sola de inmediato.

—¿Viste, abuelo? —preguntó ella con asombro—. ¿Y qué hizo que la puerta se abriera así?

—¿Cómo así? —preguntó a su vez el abuelo, en tono de broma—. Tú misma la habrás abierto. Nadie más pudo haberlo hecho.

—¡Pero yo ni la toqué! —exclamó Juanita—. Prueba tú, abuelo.

—No. Hazlo tú otra vez —dijo el abuelo.

Juanita salió del comercio, y la puerta se cerró detrás de ella. Entonces se dirigió hacia la puerta como para entrar, y en el momento en que iba a tratar de abrirla, la puerta se abrió sola.

—¡Yo no la he tocado siquiera! —exclamó Juanita, admirada—. Ahora prueba tú, abuelo.

—Muy bien —aceptó el abuelo, sonriendo—. Lo haré.

Así que el abuelo probó y, naturalmente, la puerta se abrió otra vez.

—Aquí hay un misterio —dijo Juanita, mirando alrededor de la puerta— y yo lo voy a descubrir. Debe haber alguien mirando dentro del panel, y entonces, cuando viene un cliente, abre la puerta.

—No, no es eso —dijo el abuelo—; es que hay un ojo allí, pero no un ojo humano, sino un ojo eléctrico.

—¡Un ojo eléctrico! —se sorprendió Juanita—. ¿Y qué clase de ojo es ése?

—Trataré de explicártelo —dijo el abuelo—, aunque es un poco difícil. Como ves, de un lado de esa puerta hay una luz eléctrica que arroja un rayo angosto de luz a través de la puerta. Este rayo de luz va a dar sobre una célula fotoeléctrica del otro lado. Esto hace completar un circuito eléctrico, y la puerta permanece cerrada. Cuando alguien pasa frente a esa luz, el circuito eléctrico se rompe y entonces se ponen en movimiento varios dispositivos, y la puerta se abre.

—¡Qué interesante! —comentó Juanita—. Pero yo todavía no veo cómo un rayo de luz pueda mover una puerta tan grande y pesada como ésta.

—Tú lo vas a entender cuando estudies física en la escuela secundaria —aseguró el abuelo—. Pero los impulsos eléctricos, aunque muy suaves, se magnifican por medio de transistores, como los transistores de la radio, hasta que son suficientemente fuertes como para poner en acción un conmutador, el cual hace actuar un magneto, y éste...

—¡Ya sé! ¡Ya sé! —interrumpió Juanita, tratando de aparentar que entendía—. ¿Y a eso le llaman un ojo eléctrico?

—Sí, se llama así —continuó explicando el abuelo— porque ve a todos los que entran por la puerta. Algunas joyerías tienen instalado un ojo eléctrico para sorprender a los ladrones. Se dice que las joyas de la corona de Inglaterra están protegidas por un ojo eléctrico.

—¿Sabes, abuelo? —observó Juanita—, esto me recuerda a mamá.

—¿De veras? —preguntó el abuelo—. ¿Por qué?

—Porque ella también todo lo ve —respondió Juanita con

"Aquí hay un misterio —dijo Juanita mirando alrededor de la puerta— y yo lo voy a descubrir".

W. HUTCHINSON © R. & H.

una sonrisa traviesa—. Ella debe tener ojos eléctricos.

El abuelo soltó una carcajada.

—¡Tienes razón! ¡Eso es lo que tiene ella! ¡Nunca se le escapaba nada tampoco cuando era chica! Y te diré algo más, Juanita. Ese ojo eléctrico me recuerda a Dios, porque él ve todas las cosas y a todas las personas. Y él ve mucho más de lo que tu mamá ve. Hay un texto que dice: "Los ojos de Jehová están en todo lugar, mirando a los malos y a los buenos" (Proverbios 15: 3). Y hay otro, que dice: "Porque sus ojos están sobre los caminos del hombre, y ve todos sus pasos" (Job 34: 21).

—¡Así que Dios también me vio cuando yo estaba pasando por esa puerta! —se puso a pensar en voz alta Juanita.

—Sí, y cuando subías la escalera, y... bueno... siempre, y en todas partes. No hay lugar en la tierra al que podamos ir, Juanita, donde los ojos de Dios no nos sigan. Siempre estamos delante de su vista. Recuerdo otro texto que dice: "Porque los ojos de Jehová contemplan toda la tierra" (2 Crónicas 16: 9). Qué hermoso cuadro, ¿verdad? Moviendo los ojos, mirando a todas partes, viéndolo todo, viendo a cada uno.

—Nunca había pensado en eso —dijo Juanita—. Le hace sentir a uno como que debe mirar bien adónde va y qué es lo que hace, ¿verdad?

—¡Ciertamente! —concordó el abuelo.

—Yo creo que él también tiene ojos eléctricos —dijo Juanita.

—Algo mucho más maravilloso que eso. En el primer capítulo del Apocalipsis hay una descripción de Jesús, y en ella leemos : "Sus ojos [son] como llama de fuego" (Apocalipsis 1: 14).

—Eso se parece al rayo de luz de la puerta —comparó Juanita.

—Sí —asintió el abuelo—, pero miles de millones de veces más poderoso. Porque los ojos de Jesús no sólo ven todas las cosas, sino también el corazón de la gente. Si sólo miráramos a Jesús y pudiéramos ver la luz de sus ojos, podríamos saber qué es lo que nos sucedería.

—¿Y ahora podemos ir a la sección de juguetes, abuelo?

—Claro que sí, claro que sí. Apenas hemos entrado al comercio.

Así que ambos entraron, y mientras subían por el ascensor, experimentaban la sensación de estar cerca de Dios, y tenían la convicción de que sus ojos los estaban siguiendo todo el tiempo.

HISTORIA **7**

Los Niños del Faro

HACE algunos años, en una lejana y rocosa costa, había un faro. Noche tras noche su luz brillante alumbraba, a través de la oscuridad, las peligrosas aguas.

Lentamente la luz daba vueltas, aumentando primero, luego disminuyendo, para luego aumentar otra vez, sin fallar, y siempre advirtiendo del peligro que ofrecían las rocas que había abajo. Gracias a ella, los barcos que pasaban cerca de allí por la noche, se dirigían salvos y seguros al puerto. Cuando sus capitanes veían la luz, sabían que todo marchaba bien.

Tanto en invierno como en verano, la luz siempre brillaba. Fuese a través de largas y serenas noches estrelladas, o de tempestad y borrasca, la luz nunca se apagaba. Cuanto más densa la oscuridad, tanto más brillaba; y mientras más terrible fuera la tempestad, con más alegría eran recibidos sus rayos de advertencia.

En aquel lejano y solitario faro vivía un hombre con su mujer y sus hijos, Pablo y Renée. Al principio, la vida que llevaban allí les resultaba demasiado monótona. Su casa era el alto y angosto faro. Todas sus actividades se centraban en la luz que había encima de ellos y estaban allí con el único propósito de mantener la luz siempre brillando.

Un día, cuando anochecía ya, el padre subió la empinada

Junto al alto faro, en aquella solitaria roca de la costa, vivía el guardafaros con su esposa y sus dos hijos.

FOTO DE T. P. LAKE

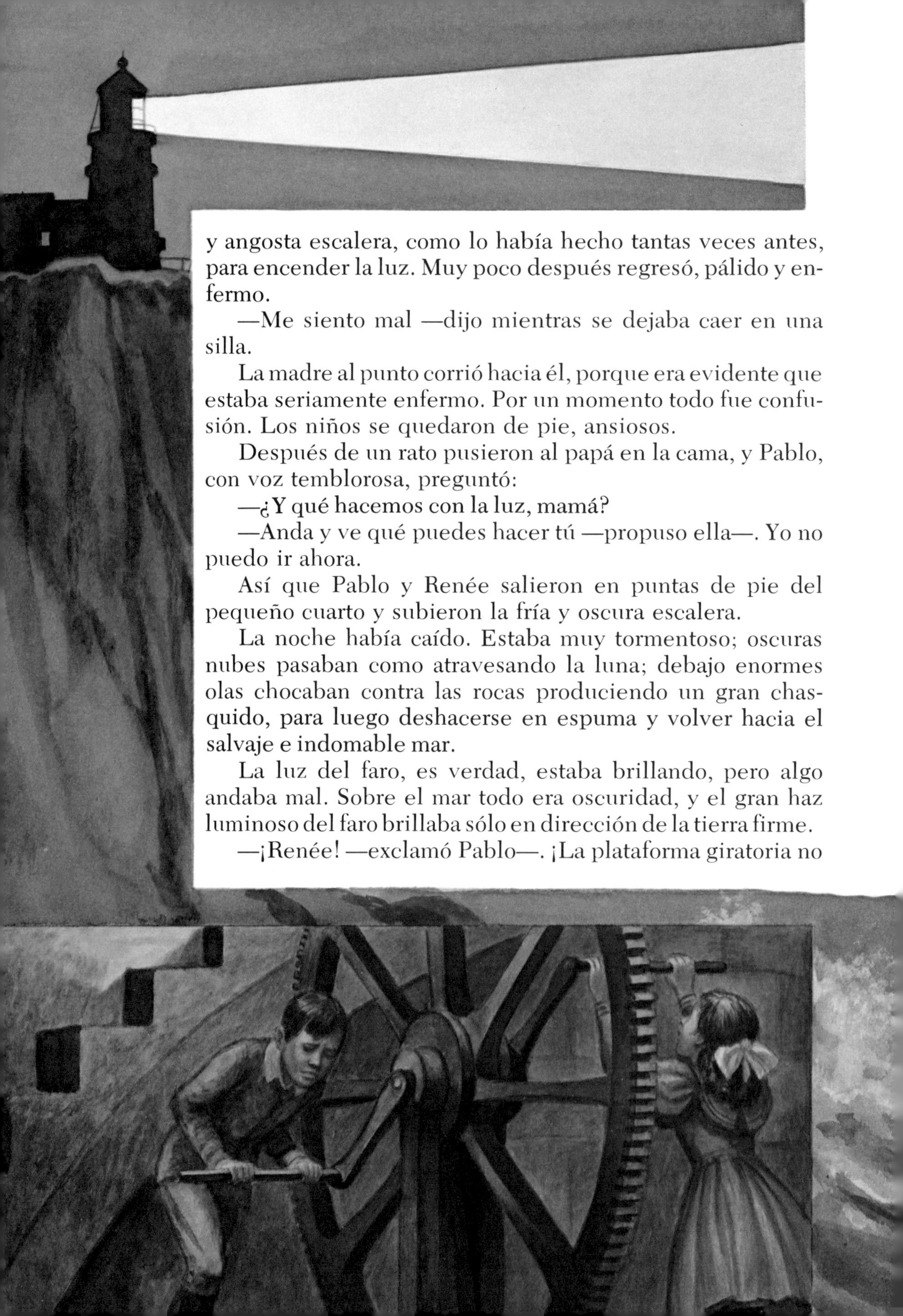

y angosta escalera, como lo había hecho tantas veces antes, para encender la luz. Muy poco después regresó, pálido y enfermo.

—Me siento mal —dijo mientras se dejaba caer en una silla.

La madre al punto corrió hacia él, porque era evidente que estaba seriamente enfermo. Por un momento todo fue confusión. Los niños se quedaron de pie, ansiosos.

Después de un rato pusieron al papá en la cama, y Pablo, con voz temblorosa, preguntó:

—¿Y qué hacemos con la luz, mamá?

—Anda y ve qué puedes hacer tú —propuso ella—. Yo no puedo ir ahora.

Así que Pablo y Renée salieron en puntas de pie del pequeño cuarto y subieron la fría y oscura escalera.

La noche había caído. Estaba muy tormentoso; oscuras nubes pasaban como atravesando la luna; debajo enormes olas chocaban contra las rocas produciendo un gran chasquido, para luego deshacerse en espuma y volver hacia el salvaje e indomable mar.

La luz del faro, es verdad, estaba brillando, pero algo andaba mal. Sobre el mar todo era oscuridad, y el gran haz luminoso del faro brillaba sólo en dirección de la tierra firme.

—¡Renée! —exclamó Pablo—. ¡La plataforma giratoria no

está dando vuelta! Los barcos no podrán ver la luz. ¿Qué haremos?

—¿Y no puedes hacer andar la maquinaria? —preguntó Renée.

—Trataré de hacerlo —dijo Pablo.

Pablo había visto muchas veces a su padre poner en funcionamiento la maquinaria, y pensó que él podría hacerlo ahora. Pero pronto se encontró con que la cosa era muy seria: algo andaba mal. La maquinaria estaba rota, y él no podía arreglarla.

—¿Y qué haremos ahora? —se angustió Renée.

—Hay una manija en la rueda —recordó Pablo.

—Pero tú no puedes darla vuelta solo.

—No puedo, pero tratemos de hacerlo los dos —propuso Pablo—. Recuerda, Renée, que nosotros somos "los niños del faro".

—¡Pues te ayudaré! —decidió Renée.

Y, tomando la gran manivela, comenzaron a dar vueltas. Para gran alegría de ambos, la plataforma giratoria se movió. Ahora los barcos podrían ver la luz del faro. Y por varias horas trabajaron de esa manera. Ninguna noche les había parecido tan larga. Tenían los brazos cansados; les dolían las manos, y se les habían ampollado. Los minutos les parecían horas, y las horas, días. Se cansaron tanto, que lloraban mientras seguían haciendo girar la rueda.

Los capitanes vieron la luz aquella noche y agradecieron a Dios por ella. Sin embargo, nunca supieron lo que había sucedido en el faro, ni del heroísmo de aquellos dos niños que fueron tan fieles en el cumplimiento de su deber.

Y como Pablo y Renée, que mantuvieron la luz brillando a través de aquella larga y tormentosa noche, Dios quiere que todos los muchachos y chicas mantengan la luz de su amor brillando en la oscuridad de este mundo ensombrecido por el pecado y el dolor.

HISTORIA **8**

Brasas Ardientes

—¡PAPA! —contó Esteban, mientras venía corriendo de la escuela—, ese Raúl es el muchacho más malo de la escuela.

—¿Y qué problema hay con él? —preguntó el padre.

—Oh, es terriblemente malo. Siempre me anda poniendo sobrenombres, y todo lo que hago está mal o es tonto, y todo el tiempo trata de que los otros muchachos se pongan en contra de mí.

—No puede ser tan malo como dices —corrigió el papá.

—Sí, lo es —insistió Esteban—. Y más aún, yo no lo voy a aguantar más. Por más grande que él sea, le daré una tremenda paliza.

—Bueno, esto se está poniendo interesante —comentó el papá, sonriendo—. Espero que me digas cuándo va a ser eso para que yo pueda ir a recoger los pedazos que queden de ti.

—Del que no va a quedar un pedacito es de él —opuso Esteban muy enojado.

—¿Qué? ¿Te lo vas a tragar en la pelea?

Esteban no pudo más que reírse.

—¿Sabes? —sugirió el papá—, yo te puedo enseñar cómo darle su merecido a ese muchacho.

 —¿De veras? —se interesó Esteban—. ¿Cómo?

—¿Quisieras poner brasas ardientes sobre su cabeza?

—¿Brasas? ¡Con mucho gusto!

—Bueno, te daré la receta para que puedas hacerlo.

Diciendo esto, el padre se encaminó hacia su estudio y consiguió un libro. Después de hojear un poco encontró la página que buscaba.

—Aquí... está —dijo—. Escucha, Esteban: "Si tu enemigo tuviere hambre, dale de comer; si tuviere sed, dale de beber; pues haciendo esto, ascuas de fuego amontonarás sobre su cabeza" (Romanos 12: 20).

—¡Oh, no! —rechazó Esteban—. Eso no es suficiente. Lo que yo voy a hacer es darle una buena paliza.

—Pero —trató de hacerle cambiar de idea el papá—, esto es mucho mejor. Si tú peleas con él, no puedes hacerle mucho; si pones brasas ardientes sobre su cabeza, entonces le quemarás toda la maldad.

—¡Está bien! —aceptó Esteban—. Pero yo no puedo hacer eso.

—¿Por qué no lo intentas, por lo menos? —trató de convencerlo el papá—. Vale la pena.

—Lo veré después —puso en duda Esteban—. Lo pensaré.

Esteban lo pensó, y antes de mucho, comenzó a suceder algo interesante.

La mañana siguiente, cuando iba a la escuela, ¿con quién se encontró sino con el odiado Raúl?

—¡Qué mala suerte la mía! —se lamentó Raúl mientras se acercaba a Esteban—. Me levanté tarde y no pude tomar el desayuno. Supongo que tú habrás desayunado muy bien.

—¡No desayunaste! —dijo amablemente Esteban—. Debes estar muerto de hambre. ¿Por qué no te comes mi merienda? Yo tuve un buen desayuno y no tengo hambre; así que, puedes tomar mi merienda.

Raúl se sorprendió tanto como si hubiera recibido un puñetazo en el ojo. Primeramente miró a Esteban, y luego a su bolsita de la merienda.

—Pero... tú no quieres decir que... —observó.

—Sí, eso mismo —completó Esteban—. Aquí la tienes.

—Gracias —dijo Raúl, y tomando la merienda, empezó a comer—. Pero tú te servirás algo también, ¿verdad?

Esteban tomó un sandwich, y juntos se dirigieron hacia la escuela, comiendo en silencio.

—Es una mañana calurosa —comentó Raúl después de haber avanzado un poco hasta alcanzar un lugar donde vendían refrescos—. ¡Ojalá pudiera beber algo!

—¿Quieres tomar algo? —dijo Esteban—. Mira, ¿y qué podríamos conseguir aquí? A mí también me gustaría tomar algo.

—Lástima que no podamos comprar una limonada para los dos —lamentó Raúl.

Esteban se registró los bolsillos.

—Bueno, pero no quiero tomar de tu dinero —le dijo Raúl—. Esperaré hasta llegar a la escuela.

—Oh no, ven —lo instó Esteban—. Vamos a tomar algo.

Ambos se encaminaron hacia el lugar, compraron una botella de limonada para cada uno, y se apresuraron para llegar a tiempo a la escuela.

Aquella tarde el padre estaba esperando a Esteban.

—Bueno —quiso saber el papá—, ¿cómo te fue en la pelea? Espero que hayas ganado.

—Sí —respondió Esteban, con los ojos brillantes—. Lo quemé.

—¿Y qué quieres decir con eso? —le preguntó el padre.

—Bueno, hice lo que tú me dijiste. Le di de comer de mi merienda, le compré una limonada, y... Bueno, él cambió totalmente. Fue diferente todo el día. Y nos portamos como si hubiéramos sido viejos amigos.

—¡Espléndido! ¡Bien hecho, Esteban! —aprobó el papá—. Espero que ganes todas las peleas de este modo.

HISTORIA **9**

Esclavos Modernos

ES SORPRENDENTE ver cuántos esclavos existen en todo el mundo aun en el presente.

Una vez yo estaba hablando con un hombre que tenía una función muy importante en la prisión más grande de los Estados Unidos, y él me contó algunas historias interesantes.

Su trabajo específico consistía en entrevistar a los presos cuando eran llevados a la cárcel. Les preguntaba acerca de su propio hogar, en caso de que lo tuvieran; sobre la familia de sus padres; sobre su trabajo, su educación y, particularmente, cuál había sido el motivo por el cual habían sido encarcelados.

¿Y saben ustedes qué le dijeron la mayoría de estos pobres presos? ¿Pueden ustedes adivinarlo?

Pues, la mayoría de los presidiarios confesó:

"Fue la bebida, señor".

¿Ustedes saben qué querían decir con eso? Querían decir que, antes de haber violado la ley, ellos habían tomado cerveza, vino, whisky, o cualquier otra bebida alcohólica.

¡Oh, qué tragedia! En esta prisión había más de 2.500 jóvenes, de alrededor de 24 años, que estaban allí porque la bebida los había inducido a cometer algún tipo de crimen.

Con la imaginación pongámonos al lado de este funcionario de la policía. Observemos y escuchemos.

Aquí viene un muchacho de quince años —y hay decenas y decenas de jóvenes como él—, que ha robado un automóvil, por lo cual lo han arrestado y encarcelado.

—Bueno, hijo —nuestro amable oficial de policía animó al muchacho a que hablara—, ¿y por qué estás aquí?

—Nosotros empezamos a beber, señor, y...

La misma vieja historia.

Y aquí viene un muchacho de 18 años. Ha matado a una anciana, creyendo que podía encontrar dinero en su casa.

—¿Por qué hiciste eso?

—Por la bebida. Estaba demasiado bebido, supongo, y no me daba cuenta de lo que estaba haciendo.

A veces se deja a los presos en libertad bajo la promesa de que se comportarán bien y vivirán una vida mejor. Pero a menudo vuelven y tienen que enfrentarse con este amable oficial otra vez.

—¿Y por qué estás tú de nuevo aquí —pregunta él—, después de que se te ha dado la libertad?

—Es que fui al bar —cuenta el preso— y no pude resistir.

¡Oh esclavo! Uno de los miles y miles de esclavos de la bebida.

Ninguno de nosotros puede hacer una decisión mejor que hacer la promesa delante de Dios de que nunca, *nunca,* NUNCA tomará una gota de esa cosa malvada.

La mejor manera de mantenernos libres de sus garras es no comenzar jamás.

Hagamos esta promesa ahora, ¡y mantengámosla!

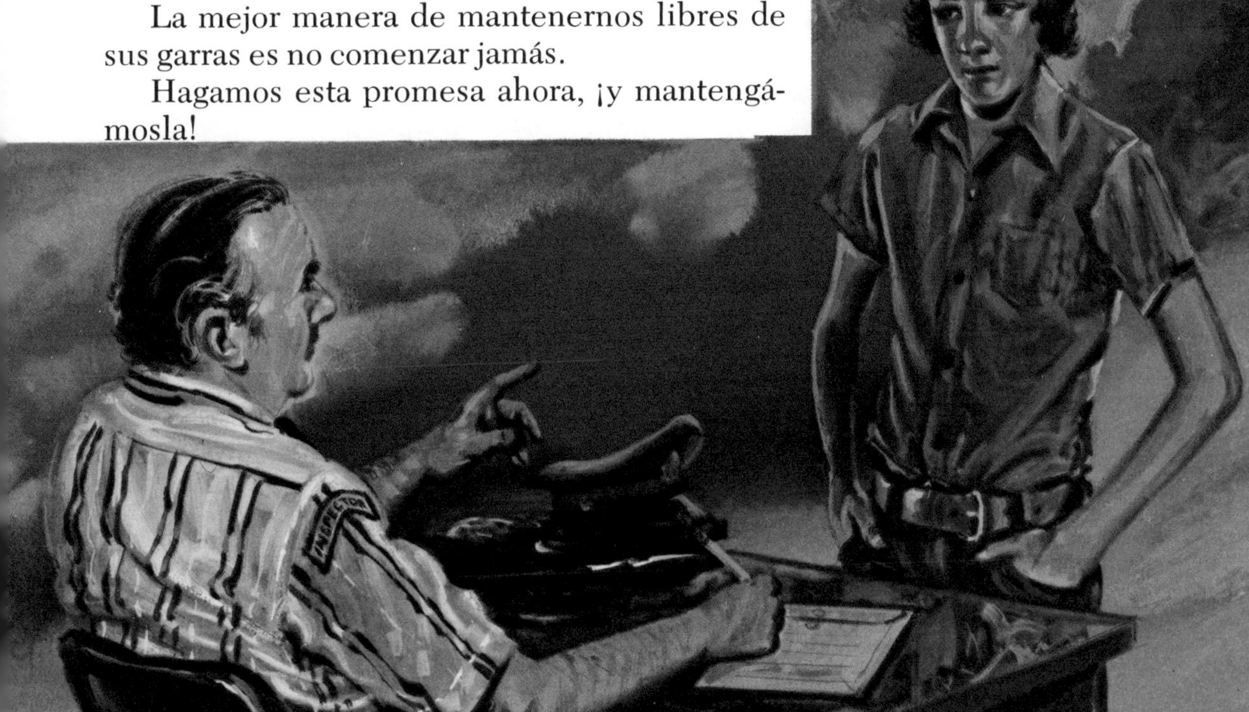

HISTORIA **10**

Fiel Hasta la Muerte

APENAS Elenita había llegado de la escuela, la madre se dio cuenta de que algo andaba mal.

—¿Qué pasa, querida? —preguntó—. Parece que tuvieras sobre tus hombros todos los problemas del mundo.

—Oh, mamá —dijo llorando Elenita—, estoy tan cansada de que se burlen de mí todos los días. Siempre pasa lo mismo.

—¿Y qué te dicen? —preguntó la mamá—. A ti no debiera molestarte un poco de bromas. De vez en cuando, las niñas son objeto de alguna broma en la escuela.

—Sí, pero no son bromas comunes las que me hacen —añadió Elenita—. Es la manera en que me ponen motes sólo porque observamos el sábado como día de descanso. ¿Por qué no me dejarán tranquila?

La mamá se sentó, y tomando a Elenita en la falda le dijo:

—Permíteme contarte una historia que te hará sentir mejor. Es acerca de tres jóvenes que habían sido llevados cautivos a una tierra extraña, y se los había hecho siervos de un rey que no creía en la misma religión que ellos. Fue muy duro para ellos, porque querían permanecer leales a Dios y a sus mandamientos, pero todos los que los rodeaban eran paganos y adoraban ídolos. Si los jóvenes osaban hablar de su religión, la gente de ese país se reiría de ellos. Y como trataron de ser buenos, la gente comenzó a molestarlos y a encontrar faltas en ellos.

"Entonces un día les prepararon una prueba muy severa. El rey tuvo la idea de hacerse una gran imagen de oro que lo representara. Estaba muy orgulloso de ella y decidió que todos los príncipes y gobernantes y hombres principales de su reino debían inclinarse delante de la estatua. Así que promulgó un decreto extraño: en cierto día toda esa gente debía reunirse en una gran llanura alrededor de la estatua, y en el momento en que se diera una señal todos debían inclinarse delante de ella.

"Y para asegurarse de que todos le obedecerían, los amenazó diciéndoles que, si alguno no se inclinaba delante de la estatua, sería echado en un horno de fuego ardiendo.

"Los tres jóvenes se dieron cuenta de que la prueba suprema de su vida había llegado. Y no podían evitarla, porque ellos se habían graduado en la escuela real y habían vivido en la corte del rey. Así que se encontraron, formando parte de una gran multitud de gente, mirando la gran estatua de oro que estaba en medio de todos. ¡Cuán rápido les habrá latido el corazón mientras esperaban que fuera dada la señal! La gente que los conocía murmuraba, preguntándose qué harían ellos ahora.

"Finalmente la banda del rey comenzó a tocar. Hubo un grito y la vasta multitud se arrojó en tierra, en señal de reverencia. Pero en esa gran llanura tres figuras humanas, y sólo tres, permanecieron erectas. No podían haberse mostrado más claramente. La gente comenzó a mirarlos con el rabillo del ojo. Rápidamente la noticia se esparció entre la multitud: 'Los tres muchachos hebreos han rehusado inclinarse delante de la imagen del rey'.

"¡Qué conmoción debe haberse producido! Todos sabían cuál era la penalidad, y esperaron para ver si el rey cumplía con su amenaza. Mientras tanto los tres jóvenes permanecían de pie, los rostros pálidos, pero firmes, esperando valientemente su destino.

"El rey envió a buscarlos. Estaba de muy mal humor.

Los tres jóvenes pasaron victoriosamente la prueba más grande de su vida porque habían aprendido a obedecer a Dios y a confiar totalmente en él.

Quiso saber por qué habían desobedecido y los amenazó con el horno de fuego ardiendo. Respetuosa pero firmemente, los jóvenes replicaron: 'He aquí nuestro Dios a quien servimos puede librarnos del horno de fuego ardiendo; y de tu mano, oh rey, nos librará. Y si no, sepas, oh rey, que no serviremos a tus dioses, ni tampoco adoraremos la estatua que has levantado' (Daniel 3: 17-18).

"Llegados a este punto, el rey estaba más furioso aún y dio la orden terminante de que calentaran el horno siete veces más de lo usual. Entonces los jóvenes fueron atados y echados en el horno. ¡Qué terrible momento debe haber sido éste para ellos! Pero ellos no titubearon, y fueron echados en el horno.

"Entonces sucedió algo maravilloso. El fuego quemó las cuerdas que los ataban, pero ellos permanecieron intactos. De repente el Señor Jesús mismo apareció con ellos en medio del fuego. El rey vio las cuatro figuras caminando, y fue presa de espanto. Llamó a los jóvenes para que salieran del horno, y ellos lo hicieron triunfalmente. La Biblia dice que 'ni aun el cabello de sus cabezas se había quemado; sus ropas estaban intactas, y ni siquiera olor de fuego tenían' (verso 27).

"Toda la multitud fue testigo del milagro y quedó grandemente impresionada. Y por lo que respecta al rey, él admitió que el Dios a quien servían estos jóvenes era más poderoso que su imagen, 'por cuanto —dijo— no hay dios que pueda librar como éste' (verso 29). Y así, gracias a que estos muchachos fueron fieles y no tuvieron temor de sufrir ni aun la muerte por lo que ellos creían, toda la nación fue bendecida, y hasta el rey pudo ver cuán necia era su idolatría".

—Creo que me doy cuenta de lo que quieres decir —comentó Elenita.

—Estoy segura de que sí —dijo la madre—. Tú eres una pequeña testigo de Dios y su verdad en tu escuela. Debes serle leal a toda costa. Tú sabes que el sábado es el verdadero día de adoración y que Dios en sus mandamientos nos recuerda que debemos guardarlo santo. Las demás personas podrán burlarse de esto, pero no importa. Si tú le eres fiel a pesar de las cosas poco amables que ellos puedan decir y

hacer, Jesús estará contigo en la escuela como lo estuvo, hace mucho tiempo, con los jóvenes en el horno de fuego ardiendo.

—Creo que me siento mejor ahora —comentó Elenita—. Trataré de ser valiente como esos tres jóvenes.

HISTORIA **11**

Cuando José se Cansó

¡LA MADRE estaba enferma! ¡Oh, cuán diferente era todo! Por un tiempo hubo una gran confusión en la casa.

Y, ¡pobre padre! De pronto se encontró con que era responsable de hacer las mil y una tareas que la madre solía hacer. Por un momento estaba casi frenético, hasta que, de pura desesperación, le vino una idea brillante.

—Miren —les propuso a los hijos una noche—, la única manera en que podemos salir a flote es que cada uno haga un trabajo específico. Si todos hacemos nuestra parte, entonces yo podré hacerme cargo de la casa hasta que mamá mejore.

—Pero nosotros tenemos que ir a la escuela —interrumpió José—, y tenemos muchas tareas que hacer para la escuela.

—Lo sé —concedió el padre—, y eso significará que tú tendrás que levantarte más temprano todas las mañanas. Y te va a hacer bien. Después de todo, si aprenden a realizar sus tareas en la casa ahora, les será más fácil hacerlo cuando sean grandes.

Los niños no pensaban lo mismo, por lo menos en esos momentos; pero querían hacer todo lo que podían para ayudar a la pobre mamá. Así que aceptaron el plan que se les presentaba.

El trabajo de José era darles agua y comida a las gallinas todas las mañanas, y el de los mellizos, Tito y Toto, atender a las gallinas por las tardes. Además, debían poner la mesa para el desayuno y limpiarla después de comer. María era la encargada de preparar el desayuno para la mamá y hacer las camas y, por la noche, lavar los platos de la cena.

Durante algunos días el plan funcionó muy bien. Los cuatro niños hacían su trabajo con entusiasmo, y tan bien y tan rápido como les era posible.

En efecto, hasta llegaron a sentir celos en cuanto a quién haría tal o cual tarea, por lo menos, al principio. Y así, cuando era el turno de Toto para hacer alguna cosa, Tito se ponía celoso porque hubiera querido hacerla él.

Pero, pasando los días, el primer entusiasmo comenzó a desvanecerse. La presión de las tareas escolares comenzó a notarse, y, además, las mañanas comenzaron a ser más oscuras y frías. Se necesita mucha voluntad para ir al gallinero en invierno, cada mañana, esté el tiempo seco o lluvioso, haga calor o frío, para alimentar a las gallinas.

Una tarde, al regresar José de la escuela luego de haber tenido un día muy ocupado, se sentía muy cansado. Además, tenía mucho que estudiar para el día siguiente. Todo eso lo puso de mal humor. Trató mal a Toto y a Tito, y también a

María. Finalmente, como se mostró malhumorado aun con su papá, éste le dijo que se fuera a su dormitorio porque sin duda necesitaba dormir.

Llegó la mañana. El sonido del despertador hizo que José diera un salto en la cama. ¡Las seis y media! ¡Sólo una hora y media y ya debía ir a la escuela, con todo lo que tenía que estudiar todavía, y encima teniendo que darles de comer a las gallinas! ¿Cómo podría hacer todo eso? ¡Si solamente no hubiera estado tan malhumorado con sus hermanos la noche anterior! Entonces podía haberles pedido que lo ayudaran, pero ahora no se animaba a hacerlo. Se sentía avergonzado de sí mismo.

Se lavó y se vistió más rápido que nunca y fue a buscar los libros que todavía estaban sobre la mesa, donde los había dejado la noche anterior. ¡Cuánto le quedaba por estudiar de aritmética y español! Y todo el tiempo le parecía que escuchaba una vocecita que le decía: "No debes fallarle a tu madre; ella depende de ti".

Mirando el reloj, decidió estudiar primero, y a continuación les daría rápidamente de comer a las gallinas. Y luego de eso trataría de llegar a tiempo a la escuela. Ciertamente que no podría tomar nada de desayuno, y tampoco tendría tiempo de prepararse la merienda para la escuela. Pero las tareas de matemática y español debían hacerse. Así que trató de concentrarse.

Mientras tanto, los mellizos entablaron el siguiente diálogo:

—De seguro, José va a estar tarde hoy, y por eso lo van a dejar en penitencia en la escuela otra vez. —Era Toto el que hablaba.

—Pobre José, no va a poder tomar el desayuno hoy —dijo Tito, simpatizando con su hermano mayor.

—Estoy seguro que no va a tener tiempo de prepararse la merienda —coincidió Toto—, así que se va a morir de hambre.

—¿Y qué en cuanto a las gallinas? —preguntó Tito.

—Sí, ¿qué pasará con ellas? —dijo Toto.

—¿Por qué no le damos una sorpresa? —propuso Tito.

—El no la merece —se opuso Toto—, estuvo muy malo conmigo anoche.

—Sí, pero estaba demasiado cansado, ¿verdad? —replicó Tito—. ¡Y a veces es tan bueno con nosotros!

—*A veces* —dijo Toto.

—Está bien; saldremos por la puerta de atrás —sugirió Tito—. Muy quietecitos.

Al momento se vieron dos siluetas deslizarse por el jardín, las cuales se desvanecieron en medio de la niebla de la mañana.

Pasó media hora. Tres cuartos de hora.

José miró el reloj. ¡Las ocho menos cuarto! Solamente quince minutos más y debía ir a la escuela. Y antes debía cumplir con las gallinas. Ni soñar con tomar el desayuno.

Estaba casi por llorar de desesperación.

Justamente entonces se oyó un gran ruido en la puerta de atrás. Por pura curiosidad José la abrió.

Afuera estaban Toto y Tito.

—¡Hola! ¿Qué han estado haciendo a esta hora de la mañana? —preguntó con sorpresa.

—Hemos estado dándoles de comer a las gallinas —dijeron los mellizos, radiantes de felicidad— para que tú puedas tomar el desayuno.

—¡Dándoles de comer a las gallinas! —exclamó José, tragando saliva—. Pues no lo merezco; realmente no. Siento por haberlos tratado mal anoche. Pero les voy a traer algún dulce esta tarde, se los aseguro.

—¡Hurra! —exclamaron Tito y Toto, mientras corrían hacia adentro para calentarse las manos.

HISTORIA **12**

Le Dolía el Corazón

HAROLDO había tenido un día malo. Se había enojado con su hermana, había sido rudo con su madre y seco con su padre y, por encima de todo, ¡cuántos problemas había tenido! La vida le parecía tan miserable. Estaba seguro de que nadie lo quería.

De modo que se hallaba muy triste y solitario cuando fue a acostarse esa noche. El no había querido disgustar a tanta gente. Quería ser bueno, pero por alguna razón no podía. Y tan luego, cuando había hecho la resolución de que nunca iba a hacer o decir nada áspero ni hiriente. ¿Por qué?, ¡oh!, ¿por qué habían pasado tantas cosas malas?

Trató de decir su oración, pero le resultaba difícil. Pensaba y pensaba en todos los actos feos que había cometido y en las cosas que había dicho, y en lo que Dios pensaría de él. Finalmente, dándose por vencido, se levantó de la cama, se arrodilló, oró y luego se volvió a acostar. Pero no podía dormir. Parecía que sus pensamientos vagaban dando círculos sobre su cabeza. ¿De qué valía tratar de ser bueno si no podía serlo? ¿Por qué un muchacho tenía siempre tantos problemas, y tenía a todo el mundo en contra de él?

De pronto, cuando comenzaba a desesperarse, le pareció oír una vocecita que le decía: "Jesús te ama; él te ayudará a ser bueno". Esto era algo reconfortante, pero, ¿cómo podía Jesús hacerlo bueno a él?

Alrededor de una hora más tarde la madre, al dirigirse hacia su dormitorio, creyó oír que alguien lloraba. Permaneció quieta y escuchó. Sí, alguien estaba llorando. Abrió suavemente la puerta del cuarto de Haroldo y miró.

—¿Qué pasa, querido? —preguntó—. ¿Te duele algo?

—Oh, mamá, me duele el corazón —dijo él.

La mamá se quedó a su lado por un momento, enjugando sus lágrimas.

—¿Dónde? —preguntó ansiosamente—. ¿Te lastimaste hoy? ¿Debo enviar por el médico?

—No, no, mamá, no es eso. Yo no me he lastimado. Es que estoy triste porque he sido un muchacho tan malo hoy. Yo quiero ser bueno, y quiero hacer lo que Jesús quiere que yo haga.

La madre se arrodilló junto a él. Ella sabía que Jesús estaba hablándole a Haroldo al corazón. Tal vez éste era el gran momento por el cual ella había estado orando desde hacía tiempo; el momento cuando él rindiera su corazón a Dios.

—Todo lo que tienes que hacer —susurró ella amablemente— es decirle a Jesús que le amas, y que quieres ser su

hijo, y que lo aceptas como tu Salvador. Tú quieres decirle eso, ¿verdad?

—Sí, mamá.

Entonces Haroldo, bajándose de la cama, se arrodilló junto a su madre, y le contó a Jesús cuánto dolor sentía, y cómo quería entregarle su corazón.

En ese preciso momento vino el padre. Viendo lo que pasaba, también él se arrodilló junto a Haroldo, y al lado de su esposa. Y un momento más tarde el hermano y la hermana mayores entraron y se arrodillaron también. Entonces, uno tras otro, todos oraron por Haroldo. Fue una hermosa reunión de oración que Haroldo jamás olvidó.

Tan pronto como se levantaron de sus rodillas, él sintió que todo era diferente.

—¿Sabes, mamá? —dijo—, el diablo me tiraba para su lado, pero Jesús me atrajo al suyo. ¡Estoy tan contento!

El día siguiente fue como un día de sol después de la lluvia. Haroldo estaba radiante de felicidad. Ya no estaba enojado, ni era gruñón ni intratable; en cambio, era amable, respetuoso y obediente. Era toda una dicha tenerlo en casa. Y en lugar de objetar contra todo lo que la madre o el padre le pedían que hiciera, él decía: "Sí, lo haré para ayudarte"; y en vez de pelear con el hermano o la hermana mayores todo el tiempo, les demostraba tanta cortesía, que ellos no pudieron menos de exclamar: "¡Algo debe haberle pasado a Haroldo!"

Sí, algo *había* pasado con él. Había encontrado a Dios, y le había entregado su corazón a Jesús. El Gran Médico había sanado la herida de su corazón.

HISTORIA **13**

Carbón en un Cadillac

¿QUE edad debe tener un niño para aprender a ser cortés? ¿Dirían ustedes que diez años? ¿O nueve, u ocho, o siete, o seis, o cinco, o cuatro?

Afortunadamente para él, Ricardo aprendió a ser cortés cuando era muy jovencito. No bien él empezó a hablar, su madre le enseñó a decir: "Por favor", "Gracias", "Perdón", "Lo siento", "De nada", y otras cosas que ayudan tanto a que la vida sea más agradable para los otros y para nosotros mismos.

Un día, cuando Ricardo no tenía aún cinco años de edad, hizo un viaje en ómnibus con su madre. El se adelantó a la madre mientras caminaban por el pasillo en busca de su asiento.

De pronto, cuando el ómnibus comenzó a marchar, Ricardo trastrabilló y, sin querer, le pisó el pie a un hombre que estaba sentado. El hombre pareció molestarse, y retiró el pie.

—Perdón, señor —dijo Ricardo—. Fue sin querer.

El hombre se sonrió. Y también los otros pasajeros. Todos estaban sorprendidos, agradablemente sorprendidos, de oír a un niñito hablar tan cortésmente.

Tomando a Ricardo en su falda, el hombre le hizo algunas preguntas.

"Perdón, señor —dijo Ricardo—, fue sin querer".

—¿Cómo te llamas?

—Ricardo Cortés, señor.

—¿Cuántos años tienes?

—Tengo cuatro años, señor; pero pronto cumpliré cinco.

—¿Dónde vives?

Y Ricardo le dio su dirección al hombre.

Mientras tanto, toda la gente del ómnibus estaba mirando al niño y escuchando el diálogo. Todos tenían una sonrisa dibujada en el rostro al ver lo bien que se había comportado ese niñito, y lo amigable y cortés que era.

Pasaron las semanas. Llegó el día del cumpleaños de Ricardo. Precisamente en ese día, para su sorpresa, recibió un paquete. Dentro había una nota que decía: "De tu amigo del ómnibus". Pero no tenía ni nombre ni dirección, así que Ricardo no pudo escribirle una nota de agradecimiento a su benefactor.

Y créanlo o no, Ricardo recibió del mismo hombre un obsequio de cumpleaños cada año hasta que cumplió los 18 años de edad.

Cuando se graduó de la escuela secundaria, recibió una hermosa cámara fotográfica que llevaba inscritas estas palabras: "De tu amigo del ómnibus".

Durante todos esos años no tenía idea de quién sería ese "amigo del ómnibus". Apenas podía recordar el haber estado sentado en la falda de un hombre en un ómnibus cuando era un niño pequeño, pero no tenía idea de quién podría ser ese hombre.

Llegó el invierno, y ese año hacía muchísimo frío. Las provisiones de carbón se habían agotado y los camiones de distribución se habían detenido porque no había más carbón para llevar.

Ricardo estaba preocupado. Su casa parecía una refrigeradora. No había carbón para calentar la casa. Para colmo, ni su padre ni su madre se sentían bien, y sufrían mucho con el frío.

Ricardo llamó por teléfono a la carbonería.

—Nuestra situación es grave —dijo—. Nos estamos congelando. ¿Podrían enviarnos un poco de carbón?

—Lo siento —respondió el hombre de la carbonería—. Queda tan poco carbón que nuestros camiones no podrán repartir nada hasta el próximo lunes por la mañana.

—¡Hasta el lunes por la mañana! —exclamó Ricardo—. Yo no creo que mis padres puedan soportar el frío por tanto tiempo. Realmente apreciaría si usted pudiera hacer algo por nosotros antes del lunes.

—Lo siento —dijo el hombre—. Y, de paso, ¿cómo se llama usted?

—Me llamo Ricardo... Ricardo Cortés, señor. Por favor haga algo, si puede, por nosotros.

—Veré qué puedo hacer —se dispuso el hombre.

Una hora más tarde un hermoso Cadillac se detuvo frente a la casa de Ricardo. Bajó de él un chofer y se acercó a la puerta del frente. Ricardo fue a ver qué quería.

—¿Vive aquí Ricardo Cortés? —preguntó.

—Sí —dijo Ricardo—. ¿Puedo hacer algo por usted?

—No —repuso el chofer—, sino que he traído algo para usted.

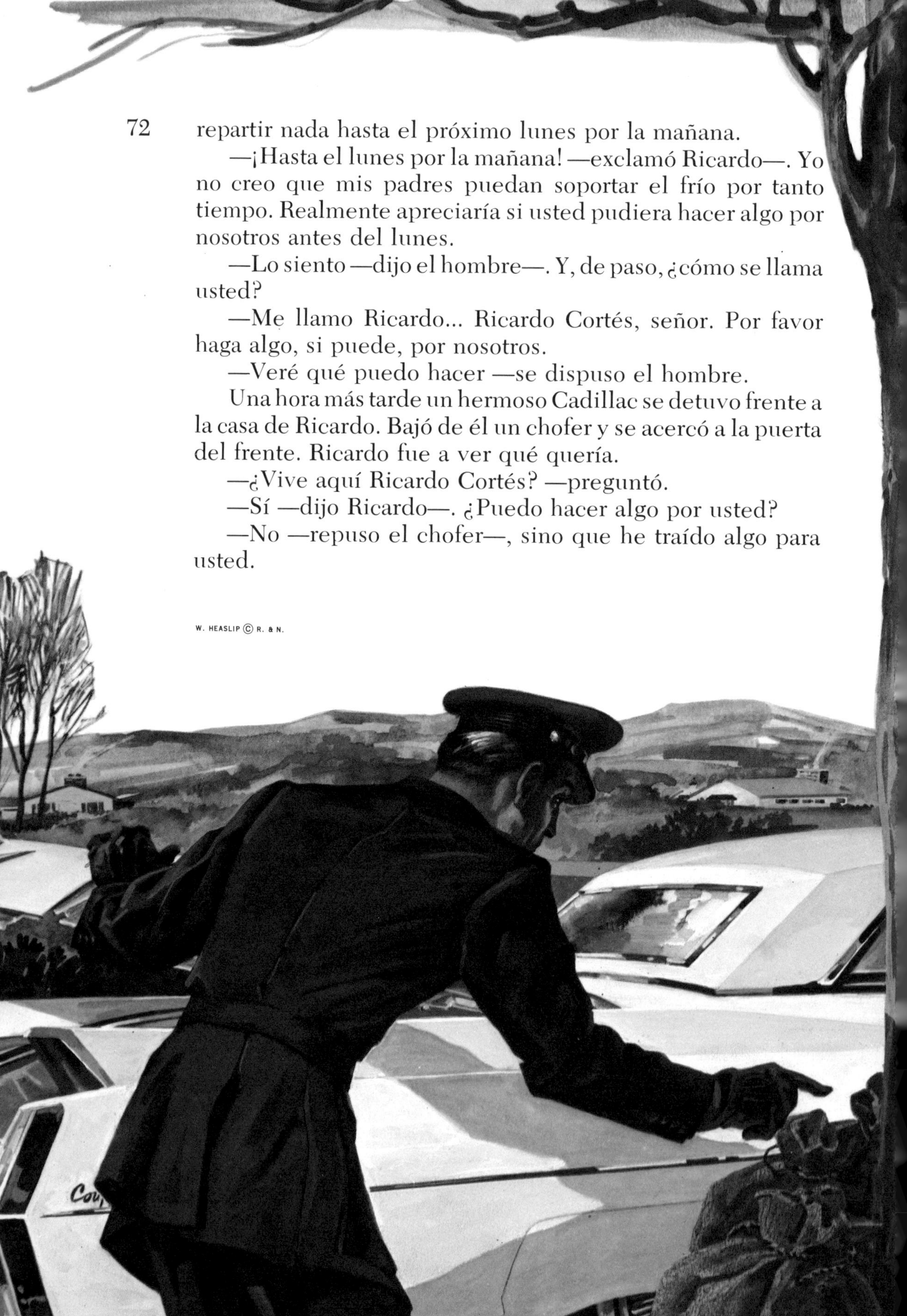

W. HEASLIP © R. & N.

Y para sorpresa de Ricardo el hombre sacó seis sacos de carbón de su hermoso Cadillac.

—¿Todo esto es para nosotros? —preguntó Ricardo.

—Sí —respondió el chofer—. Y mi empleador dice que usted no necesita pagarlo.

—¡Oh, gracias! —exclamó Ricardo—. ¡Muchas gracias, muchísimas gracias! ¿Pero quién lo envía?

—Hay una nota en uno de los sacos —indicó el chofer, y diciéndole adiós subió al automóvil y se fue.

Ricardo abrió los sacos. Dentro de uno de ellos encontró una nota que decía: "De tu amigo del ómnibus".

Ricardo apenas podía dar crédito a sus ojos. Entonces llegó a la siguiente conclusión: ¡El hombre del ómnibus debe ser el presidente de la compañía de carbón!

Ricardo tenía razón. Y toda esa amabilidad, a causa de que un niñito había sido cortés muchos, muchos años antes.

HISTORIA **14**

Los Narcisos de David

—¿CUANTO cuestan esos narcisos que están en la vidriera? —preguntó David.

—Setenta pesos —dijo la señora que estaba detrás del mostrador—. Y están bien baratos.

—¡Fiu! —silbó David—. ¡Qué caro! Temo que no pueda comprarlos hoy.

—¿Y cuánto quieres pagar por ellos? —preguntó la señora.

—Oh, no se preocupe —dijo David—. Vendré otra vez.

"¡Setenta pesos! —pensó mientras se dirigía hacia su casa—. ¿Dónde podré conseguir tanto dinero?"

Pero él quería comprar a toda costa esas flores. Porque, ustedes saben, todas las semanas él iba a una "misión cristiana", y un día oyó que el predicador decía: "Si nosotros amamos a Dios, amaremos a los demás. Hemos sido salvados para servir. Y si no podemos hacer grandes cosas en favor de los otros, podemos hacer cosas pequeñas como, por ejemplo, llevarle flores a alguna ancianita recluida".

Y fue allí donde nació la idea. El le iba a mostrar su amor a Dios, y a los demás, llevándole algunas flores a la señora Gómez, la anciana que vivía en el piso de arriba.

David, silenciosamente, le pidió al Señor que lo ayudara. Entonces se le ocurrió algo: iría a la fábrica de muebles que

A David se le ocurrió la idea de que podría demostrar su amor a Dios llevándole algunas flores a la señora de Gómez, la anciana que vivía en el piso de arriba.

había cerca y le pediría al gerente algunos retazos sobrantes de madera, que cortaría en trozos para venderlos luego como leña.

Y no pasó mucho tiempo antes de que estuviera cortando leña. Le vendió cuatro pilas a una persona, tres a otra y dos a otra. Y en poco tiempo tuvo cuarenta y cinco pesos. Pero ahora ya no tenía más leña, y no se animaba a pedir más.

Bueno, tal vez la señora del invernadero le vendería los narcisos por cuarenta y cinco pesos.

—¡Así que has venido otra vez! —se sorprendió ella cuando lo vio entrar—. Los narcisos están todavía aquí.

—Ya veo —dijo David—. Este... este...

—Bueno, ¿qué pasa, muchacho?

—Señora, ¿podría rebajármelos a cuarenta y cinco pesos? Es todo el dinero que tengo.

—Lo siento —respondió ella—. El precio es setenta pesos.

David puso la cara larga, y se dio vuelta para retirarse.

—Espera —intervino un cliente que había notado el chasco de David—. Aquí tienes veinticinco pesos.

—Oh, gracias, señor —comenzó a decir David, mientras tomaba el dinero que el hombre le extendía—, aunque yo no debiera aceptarlo.

—Está bien, hijo —fue la respuesta del hombre—. Pero, ¿por qué quieres tanto esos narcisos? ¿Es el cumpleaños de tu madre?

—No, señor. Yo se los quiero regalar a una anciana que vive en el apartamento que está arriba del nuestro. Usted sabe, ella está muy sola y nunca recibe ninguna flor.

—¿Es una pariente tuya?

—No, señor.

—Bueno —dijo el hombre algo sorprendido—. Entonces, ¿por qué deseas tanto darle esas flores?

—Porque yo amo a Dios y quiero hacer feliz a otros.

El caballero, dándose vuelta, se enjugó las lágrimas que le brotaron de los ojos. David pagó los narcisos, agradeció a su buen amigo y se fue muy contento con las flores a la casa de la señora Gómez.

Aquella noche, cuando el hombre llegó a su casa, le contó

a su esposa lo que había sucedido en la florería.

—Me he encontrado con el muchacho más extraño —dijo—. No tendría más de nueve años. Estaba tratando de comprar unos narcisos para una pobre anciana que ni siquiera era su pariente. No tenía suficiente dinero, así que le di veinticinco pesos para ayudarle.

—Me alegro de que lo hayas hecho —aprobó la esposa—. ¿Pero por qué quería obsequiarle esas flores a la anciana?

—Eso es lo interesante —dijo el hombre—. Me explicó que era porque amaba a Dios y quería hacer feliz a otros.

—¡Nunca he oído semejante cosa!

—Lo sé. Y más todavía. Nosotros decimos que amamos a Dios, pero nunca hacemos nada por los demás, ni tratamos de hacerlos felices. Esto es, fuera de nuestra familia.

—Tienes razón. Tal vez debiéramos hacer algo.

El hombre volvió a leer el periódico, pero sólo por un momento. De pronto se levantó de su asiento.

—¿Y por qué no podemos *nosotros* también darle narcisos a la gente? —sugirió, acercándose a su esposa.

—¿Y por qué no? —aceptó ella.

—Llevemos unos cuantos mañana a la misión y digamos que son para algún anciano o anciana que se sientan muy solitarios.

—Hagámoslo —concordó la esposa, entusiasmada.

Y así lo hicieron. Al día siguiente fueron a la misión con una docena de *macetas* de narcisos florecidos. Y al entrar vieron a David que estaba hablando con el director de la misión. ¿Qué? ¡Si ése es mi muchacho! —exclamó el hombre—. Fue él quien me dio la idea de las flores.

David miró a su amigo, con la carga de narcisos que acababa de comprar. Abrió tamaños ojos y su rostro se iluminó con una sonrisa amorosa.

—¡Ustedes van a hacer felices a muchas personas! —exclamó entusiasmado.

—Así es —dijo el hombre—, y todo gracias a ti.

HISTORIA **15**

La Historia de los Trenes

¡CUAN fácil nos resulta viajar en estos días! Podemos ir casi a cualquier parte en automóvil, en tren o en avión. En esto tenemos una gran ventaja sobre la gente que vivía hace ciento cincuenta años, cuando el caballo, o los coches tirados por caballos, eran los medios más rápidos de trasladarse de un lugar a otro.

Hoy, el viaje por avión es tan rápido y tan conveniente, que muchos niños ni siquiera han viajado jamás en tren.

Antes de 1812 nadie había visto un tren o una locomotora, Efectivamente, nadie sabía cómo construir una locomotora de vapor. Fue un hombre que se llamaba George Stephenson el que tuvo la idea de hacer una.

En 1814, a la edad de 33 años, Stephenson fabricó su primera locomotora, la que llamó Blucher. Esa locomotora podía arrastrar un tren de ocho vagones con un total de treinta toneladas a seis kilómetros por hora.

En los años subsiguientes la mejoró y le aumentó el poder y la velocidad. En 1825 fue establecida una línea de trenes entre Stockton y Darlington, Inglaterra, y a pesar de que al principio los empresarios pensaron que iban a tener que arrastrar los vagones con caballos, Stephenson los persuadió a que usaran sus locomotoras. El primer tren que anduvo por esa vía tenía treinta y ocho vagones, que pesaban un total de noventa toneladas. Comenzó a andar a más o menos veinte kilómetros por hora, y aun a veinticinco, lo cual era una velocidad tremenda para aquellos tiempos. Efectivamente, los iniciadores de la nueva empresa tenían tanto temor, que el hombre que hacía las señales se adelantó a caballo para asegurarse de que nadie sería arrollado por la locomotora.

Tres semanas después se inauguró esta línea, con un servicio regular de pasajeros. Se le permitía llevar seis kilos de equipaje a cada pasajero.

Cuatro años más tarde, en 1829, los directores de la línea de trenes de Liverpool a Manchester, que estaba en construcción, ofrecieron pagar 2.500 dólares por la mejor locomotora. Hubo tres ofertas, la Rocket de Stephenson y otras dos. Estas dos últimas se rompieron durante la prueba, pero la Rocket pudo arrastrar un tren que pesaba en total once toneladas e

Las carreras que ganaron las primeras locomotoras de vapor contra los vehículos tirados por caballos marcaron un gran avance de los medios de transporte.

H. STITT
CORTESIA DE BALTIMORE & OHIO RAILROAD

hizo un promedio de aproximadamente 74 kilómetros por hora. Para esa época, era la velocidad máxima a que el hombre había viajado. La gente estaba más entusiasmada con esto de lo que está ahora cuando oye que un astronauta está viajando en el espacio a casi 30.000 kilómetros por hora.

Tal fue el éxito de esta línea de trenes que unía a Liverpool y Manchester, que se inauguraron nuevas líneas tanto en Inglaterra y en Estados Unidos, como en Europa, Canadá, Latinoamérica, Egipto, Asia, India y Australia.

Los trenes comenzaron a formar parte vital de las grandes naciones. Enormes locomotoras de vapor con ruedas más altas que un hombre, reemplazadas después por estilizadas locomotoras diesel han cruzado los continentes infinitos, arrastrando trenes de carga y de pasajeros.

Ahora hay líneas de ferrocarriles muy extensas como las del Canadian Pacific, que recorre casi 5.000 kilómetros, o el Transiberiano, que une Leningrado con Vladivostok, y que tiene casi 10.000 kilómetros.

Ya tenemos suficiente en cuanto a los trenes que surcan la superficie de la tierra. ¿Pero qué diremos en cuanto a los que andan debajo, subterráneamente?

El primer tren subterráneo comenzó a funcionar en Londres, en 1863. Y el túnel por el cual debía andar fue excavado como un surco, y luego cubierto. En 1868 se le añadió una línea "tubo", construida con un nuevo método: se excavó un agujero bajo tierra, de más de tres metros de diámetro. Para ello se usó una lámina de metal, la cual mantenía la tierra para que no se desmoronara durante la excavación, con suficiente lugar para construir las paredes permanentes, y se la empujaba hacia adelante mientras proseguía la excavación.

Desde entonces han sido construidos muchos otros subterráneos, y se puede decir que los fundamentos de muchas de las grandes ciudades constituyen un verdadero laberinto de redes de subterráneos. Nueva York, Tokio, Buenos Aires, la ciudad de México y tantas otras ciudades los tienen. Algunas de las compañías al principio usaron locomotoras de vapor para arrastrar los vagones, pero pronto, para evitar el vapor y el humo bajo tierra, todas estas líneas comenzaron a usar electricidad.

Nos hemos acostumbrado tanto a los trenes subterráneos, que no pensamos en todo lo que significa construirlos, ni en la gran comodidad que nos ofrecen al usarlos. Pero realmente, si nos detuviéramos a pensar en ello, nos maravillaríamos de poder viajar tan rápido y fácilmente. Pensemos en cuán sorprendido estaría el profeta Daniel, autor bíblico de un libro que lleva su nombre, si resucitara. Imaginémoslo en París, viajando en un tren subterráneo, o en uno de esos que van por encima de la ciudad, como los de Tokio.

Ya hace mucho tiempo, refiriéndose a los últimos días, dicho autor escribió: "Muchos correrán de aquí para allá, y la ciencia se aumentará" (Daniel 12: 4). Más de uno cree que las palabras del profeta se refieren a los modernos medios de transporte.

Y esto me hace pensar en Isaías, otro profeta de la Biblia,

que predijo el nacimiento de Jesús y amonestó a la gente a que preparara el "camino del Señor", como si la humanidad estuviera construyendo un camino: "Todo valle sea alzado, y bájese todo monte y collado; y lo torcido se enderece, y lo áspero se allane" (Isaías 40 : 3-4).

¿No habría disfrutado Isaías viajando miles y miles de kilómetros a lo largo de esas extensas vías, a través de valles y montañas, sobre superficies lisas o rocosas? ¿No piensan ustedes que estaría feliz si alguien le dijera que millones de ejemplares de la Biblia fueron llevados por vías, por carreteras, y aun por aire, hasta lo último de la tierra, para dar a conocer, como él mismo dice, "la gloria del Señor" (verso 5)?

Verdaderamente, éste es el tiempo más maravilloso de la historia del mundo.

HISTORIA **16**

La Niña que se "Durmió"

JESUS amaba a todos los niños, y siempre era muy bueno con ellos. Una vez, una niña que tenía doce años de edad estaba muy enferma. El nombre de su papá era Jairo —hoy lo llamaríamos el señor Jairo— y era uno de los hombres más importantes de la iglesia local. En aquellos días, a un hombre tal lo llamaban "príncipe de la sinagoga".

Jairo tenía en alto respeto a Jesús y creía que él era capaz de sanar a los enfermos. Así que, tan pronto como su hijita enfermó gravemente, este señor corrió a donde estaba Jesús y le pidió que viniera cuanto antes para sanarla. Y Jesús accedió a ir.

Mientras tanto la señora de Jairo velaba junto a la cama de la pequeña y notaba cómo la niña empeoraba. Nada podía ella agregar a lo que había hecho. ¿Vendría Jesús a tiempo? ¿Por qué tardaba tanto? ¿Qué habría sucedido?

Pasó una hora. Con lágrimas que se deslizaban por sus mejillas, la amorosa madre sintió los últimos estertores de la niña. ¡Jesús no había venido! ¿Por qué?

Es que algo había sucedido en el camino. Mientras Jesús se dirigía hacia la casa de Jairo, una pobre señora que había estado muy enferma durante doce años se había abierto paso por entre la multitud y había tocado la orilla del manto de

Jesús. Inmediatamente su enfermedad fue curada, y Jesús la llamó para que contara su historia.

Pero he aquí que, mientras ellos hablaban, un mensajero se detuvo junto a Jairo, que estaba entre la multitud, para darle la triste noticia de la muerte de su hija.

—Tu hija ha muerto —le dijo—. No molestes más al Maestro.

El pobre padre se llenó de dolor. Jesús se dio cuenta de su tristeza, pues sabía lo que había sucedido. Y dirigiéndose a Jairo le dijo: "No temas; cree solamente y será salva".

Cuando Jesús llegó a la casa de Jairo, la encontró llena de gente. Muchos lloraban, y aun daban alaridos, con lo que producían una terrible confusión.

—¿Por qué alborotáis y lloráis? —preguntó—. La niña no está muerta, sino duerme.

Al oír esto la gente comenzó a burlarse de él porque sabía que la niña estaba muerta. Sin embargo, Jesús dio la orden de que todos, con excepción de la familia, salieran afuera.

Entonces, cuando todo estuvo en silencio, se dirigió a la habitación donde estaba la niña acostada, toda blanca e inmóvil. Y con él fueron los tristes padres y tres de sus discípulos.

¿Qué irá a hacer?, se preguntaban sus padres. ¿Qué podrá hacer él ahora? Muy pronto lo verían.

Tomando de la mano a la niña, Jesús le dijo: "Niña, a ti te digo, levántate".

La niña se movió y abrió los ojos. Entonces se levantó como si hubiera estado durmiendo y acabara de despertarse. Parecía tan bien como cuando estaba sana.

"Y sus padres estaban atónitos", dice la Biblia; pero estoy seguro de que también estaban sumamente felices.

¿Y qué suponen ustedes que hizo Jesús entonces?

Pues, dio la orden de que se le diera de comer a la niña.
Esto nos muestra que Jesús sabe exactamente lo que los niños y las niñas necesitan y lo que les gusta más.

HISTORIA **17**

El Hombre Despertador

CLAUDE TERRY trabajaba en un antiguo y fino restaurante de una de las ciudades del sur de los Estados Unidos.

El lugar estaba abierto veinticuatro horas al día, y el señor Terry era el cajero del turno de la noche. Comenzaba su trabajo entre las seis y las nueve de la noche y se iba a la casa entre las seis y las siete de la mañana.

Yo lo conocí hace algún tiempo y él me contó su historia.

Todo comenzó hace muchos años. Una vez un cliente le dijo:

—Ya que usted está despierto toda la noche, ¿sería tan amable de llamarme por la mañana? Aquí está el número de mi teléfono.

—¡Cómo no! —le respondió complaciente el señor Terry—. Será un placer servirle.

El hombre estaba tan contento por la bondad de Terry, que se lo contó a un amigo, quien también necesitaba levantarse temprano. Y también a él el señor Terry le prometió que lo despertaría.

Poco a poco la gente fue enterándose de esto, y pronto el señor Terry llamaba a diez personas todas las mañanas. Luego a quince. Más tarde a veinte, treinta, cuarenta, cincuenta. Imagínense el tiempo que tuvo que haberle llevado. Pero el

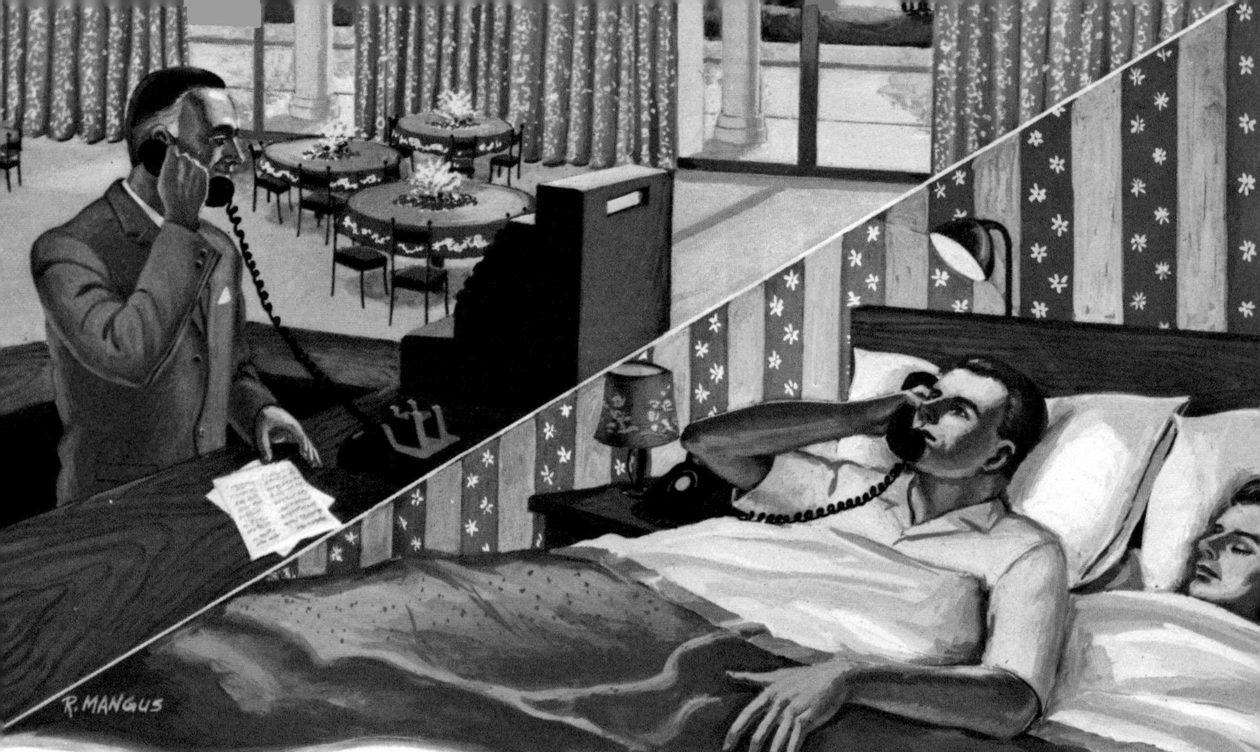

señor Terry nunca se quejó. Tampoco rechazó el pedido de nadie. Si un hombre quería que lo llamaran por la mañana, todo lo que tenía que hacer era dejar su nombre y teléfono con el señor Terry, quien sin falta lo llamaba.

Con el pasar del tiempo, el señor Terry fue conocido en toda la ciudad como "el hombre despertador".

Después de despedirme de él, no pude menos de pensar en Alguien que va a ser "el Hombre despertador" de la gente alrededor del mundo entero, que "duerme", que duerme el sueño de la muerte. Ustedes saben a quién me refiero.

Cuando Jesús le hablaba a la pobre Marta, cuyo hermano Lázaro acababa de morir, expresó estas impresionantes palabras: "Yo soy la resurrección y la vida; el que cree en mí, aunque esté muerto, vivirá" (S. Juan 11: 25). Entonces él fue a la tumba donde estaba Lázaro sepultado y lo llamó: "Lázaro, ven fuera"; y Lázaro oyó su voz, se levantó y salió de la tumba.

Así también fue con el hijo de la viuda, al cual llevaban al cementerio. Jesús pidió a la gente de la procesión fúnebre que se detuviera. Entonces dijo: "Joven, a ti te digo, levántate", y éste se levantó.

Y lo mismo ocurrió con la hija de Jairo, que también había

muerto. Jesús fue a la casa de ella y encontró su habitación llena de mujeres que lloraban. Después de hacer salir a casi todos, pronunció estas palabras llenas de poder: "Niña, a ti te digo, levántate", y ella regresó a la vida (S. Marcos 5: 41).

Algún día, dice la Biblia *todos* los que están en las tumbas oirán la voz de Jesús (S. Juan 5: 28-29). ¿No es maravilloso? Quiere decir que Jesús va a despertar a todos los que están durmiendo el sueño de la muerte.

¿Cómo sucederá esto? Un hombre muy famoso nos lo ha dicho. En una de sus cartas, llamadas también espístolas, el apóstol Pablo escribió: "Porque el Señor mismo con voz de mando, con voz de arcángel, y con trompeta de Dios, descenderá del cielo; y los muertos en Cristo resucitarán primero. Luego nosotros los que vivimos, los que hayamos quedado, seremos arrebatados juntamente con ellos en las nubes para recibir al Señor en el aire, y así estaremos siempre con el Señor" (1 Tesalonicenses 4: 16-17).

¡Qué hermoso pensamiento! Todos los que han sido separados de sus seres queridos por la muerte serán reunidos otra vez. ¡Todos! ¡Y para siempre!

¿Cuándo acontecerá esto? En la "mañana de la resurrección", cuando Jesús volverá otra vez. Entonces una voz gloriosa será oída alrededor del mundo, y todos los muertos que le amaban, oirán y despertarán para nunca más volver a morir.

¡Qué hermoso pensar que Jesús será "el despertador" de todos los que "duermen" en la tumba! El no olvidará a nadie: ni a los hermanos ni a las hermanas. En el preciso tiempo él llamará a todos los que murieron confiando en su gracia redentora.

Russ Harlan

La resurrección de Jesús nos da la seguridad de que los muertos que le amaron en vida también resucitarán.

HISTORIA **18**

El Soñoliento Pepe se Despierta

LA MAESTRA observaba a Pepe. Algo raro sucedía con él, pero ella no podía darse cuenta qué era.

Allí estaba él otra vez, con los ojos cerrados y la cabeza entre las manos, ¡y eran solamente las diez de la mañana!

—¡Pepe, despiértate! —lo llamó ella. Pepe se sentó derecho, con un estremecimiento.

—Sí, señorita —alzó la cabeza—, mirando el libro otra vez. Pero era inútil: él no podía captar el significado de las palabras, y su cabeza se bamboleaba para todos lados aunque trataba de ponerse firme.

Pepe siempre estaba dormido; por lo menos así le parecía a su maestra. Y también a los chicos de la clase, por lo que lo llamaban "Pepe el dormilón". A veces tenía tanto sueño que ni siquiera podía jugar.

Y en cuanto a las calificaciones de la escuela, sus notas iban del excelente al modesto regular.

La última vez que la señorita Méndez envió las notas a la casa de Pepe, añadió algunos comentarios como éste: "Pepe siempre está soñoliento y parece que no puede hacer muy bien sus tareas escolares. Como esto podría estar relacionado con su salud, sería conveniente que fuera a ver a un doctor".

—¡Qué ocurrencia! —comentó la madre. A Pepe no le pasa nada.

Pero a pesar de eso, decidió observar a Pepe para ver si

podía descubrir qué era lo que andaba mal.

"Quizá —se dijo— yo no lo he vigilado como debiera".

Pronto la mamá se dio cuenta de que, cuando Pepe venía de la escuela, lo primero que hacía era ir directamente al televisor y prenderlo. Sin embargo, esto no le llamó mucho la atención porque había visto muchas veces a Pepe mirar televisión. Pero una hora más tarde lo vio todavía allí.

—Pepe —le advirtió—, creo que has estado mirando televisión por mucho rato ya.

—Oh —explicó Pepe—, hay un programa con una pelea entre un avión y un submarino. ¿Oyes los disparos?

—Bueno, Pepe, pero no te quedes demasiado tiempo.

—Está bien, mamá —asintió él.

Y pasó otra media hora.

—¡Pepe! —gritó la mamá—. ¿No me has oído? La cena está lista.

—Iré dentro de un minuto —dijo Pepe.

—¡Ven ahora mismo!

Lentamente Pepe se sentó a la mesa. Tan pronto como terminó de comer fue deslizándose hacia el televisor.

—¿Adónde vas? —le preguntó la mamá.

—Hay un programa que empieza dentro de un minuto —respondió Pepe—. ¡Va a estar muy bueno!

—¿Pero no tienes que hacer tareas para la escuela?

—Sí —dijo él—. Pero las voy a hacer en cuanto termine el programa. Es una serie que he estado mirando cada noche.

—¡No! —se puso firme la mamá—, las tareas escolares primero. A ver si terminas para cuando yo vuelva de la casa de los Rodríguez.

Una hora más tarde, cuando la madre volvió, Pepe todavía estaba frente al televisor, y al ver a su madre, saltó de la silla con una expresión de culpa en la cara.

—¡Pepe! —se indignó la mamá—. ¿Qué te dije? Has estado mirando televisión todo el tiempo. ¿Cómo puedes hacer tus tareas escolares?

—Ya las voy a hacer —aseguró Pepe con un bostezo.

—No, no puedes —se opuso la mamá—. Estás demasiado soñoliento. No aprenderás nada. Vete a la cama en seguida.

—Está bien —dijo Pepe, bostezando otra vez.

Después de un buen rato, cuando la mamá se fue a acostar, vio un débil rayo de luz debajo de la puerta de la sala. En puntas de pie se dirigió hacia la puerta y la abrió.

—¡Pepe! ¿Qué estás haciendo aquí? —demandó la mamá.

—Tenía que mirar este programa —se limitó a contestar Pepe.

—No, tú no tenías que mirar nada —replicó la mamá—. No era tan importante. Y ya has tenido suficientes programas para que te duren por un buen tiempo. Tú no puedes pretender mirar televisión a todas horas y después hacer un buen trabajo en la escuela. Te estás cansando la mente. Por eso estás tan soñoliento en la escuela.

—Yo no lo creo.

—Pero yo sí —contradijo la madre—. Vamos a tener el televisor apagado por un tiempo. Entonces veremos qué sucede.

—¿Quieres decir que no podré mirar más televisión?

—Eso es exactamente lo que quiero decir —dijo la mamá—. Volverás a mirar televisión cuando mejores tus notas.

—¡Qué aburrimiento! —refunfuñó Pepe.

Durante un mes el televisor permaneció apagado. Eso le permitió a Pepe dedicar más tiempo a sus estudios e ir más temprano a la cama.

Al poco tiempo, llegó una nota de la maestra. Decía así: "Pepe está mejorando mucho en estos últimos días y mostrando un renovado interés en sus tareas escolares. Se mantiene ocupado y parece más contento".

Pepe coincidió con la maestra en que esto era verdad. El estaba más contento en la escuela y también tenía más energía para jugar. En la casa nuevamente se le permitió mirar televisión, pero esta vez de una manera controlada.

Cuando entró a la escuela secundaria, se propuso obtener buenas notas y soñaba con asistir a la universidad algún día.

—Yo quiero ser alguien cuando crezca —decía, y recordaba lo que le había dicho la mamá más de una vez cuando era chico que, cuando Dios busca a alguien que haga un trabajo para él, nunca escoge a una persona perezosa, sino a una trabajadora.

HISTORIA **19**

Rescatados por un Avión

HACE algunos años, dos hombres de las Fuerzas Aéreas Españolas partieron de El Cairo, Egipto, en vuelo hacia Bagdad, la capital de Irak. El viaje era peligroso debido a que gran parte del recorrido tenía que realizarse sobrevolando vastos desiertos donde no era posible conseguir una gota de agua ni ninguna otra cosa, en caso de aterrizaje forzoso. Por algún tiempo los dos hombres volaron sin ningún problema; pero al cruzar el desierto de Siria perdieron la ruta. Queriendo retomarla, evolucionaron tanto, que finalmente se les acabó la gasolina y tuvieron que aterrizar sobre la arena.

Tenían abastecimientos para tres días, así que, mirando a menudo hacia arriba, esperaron por algún tiempo, ansiosos de que algún avión que pasara los viera.

Era un día terriblemente caluroso, y no tenían ninguna sombra a excepción de la que hacían las alas del avión. Al día siguiente se les acabó el agua, y tuvieron que afrontar la terrible realidad de tener que morirse de sed. Finalmente decidieron caminar por el desierto en busca de ayuda.

Mientras tanto una serie de mensajes habían sido trasmitidos por radio entre Bagdad y El Cairo. Los de El Cairo preguntaban si los dos españoles habían llegado bien, y los de Bagdad les contestaban que no sabían nada acerca de ellos. A medida que pasaba el tiempo, todo el mundo se ponía más ansioso.

En la mañana del tercer día, los hombres a cargo de las unidades de la Real Fuerza Británica estacionada en Egipto decidieron enviar ocho aviones para rescatar a los dos españoles perdidos.

Durante cuatro días los ocho aviones británicos sobrevolaron a lo largo y ancho el desierto de Siria, mientras sus tripulantes miraban con gran atención hacia abajo tratando de divisar el avión perdido. Por la tarde del cuarto día pudieron verlo, pero, para desaliento de los rescatadores, los dos españoles no estaban allí.

Exhausto, hambriento, con los pies llagados y la lengua reseca, el capitán español trató de atravesar el desierto a pie. Al sexto día ya no tenía fuerzas. Hacía tiempo que se le había acabado el agua de la cantimplora y tampoco tenía nada para comer. Su compañero, el mecánico, había quedado muchos kilómetros atrás, mientras el capitán iba en procura de ayuda.

El viento levantaba nubes de arena, lo que hacía sumamente difícil la visibilidad. El capitán no sabía por dónde iba, y tropezaba como un hombre en medio de la oscuridad. ¿Recibiría alguna ayuda a tiempo?

¡Escuchen! ¿Qué fue eso? Un sonido familiar pareció estar acercándose. Con nueva esperanza el capitán levantó débilmente la cabeza y miró hacia arriba.

Tenía razón. Un momento después descendía uno de los

aviones británicos. El capitán español había sido rescatado precisamente en el momento en que ya no podía siquiera moverse.

Entonces se dirigieron hacia atrás para buscar al mecánico. Y se enteraron de que éste había estado andando más de 40 kilómetros y que el capitán había caminado sobre las arenas candentes, nada menos que setenta y dos kilómetros desde donde habían dejado el avión.

Las noticias llegaron a España, y los periódicos contaron cómo los hombres de la Real Fuerza Británica habían estado buscando durante varios días, en medio de las terribles tormentas de arena, a dos españoles perdidos. El gobierno expresó su gratitud, y la embajada británica en Madrid recibió miles de mensajes en que el pueblo español expresaba la admiración por la valentía y la caballerosidad de los ingleses.

Como consecuencia, los dos países trabaron mejores relaciones. ¿Y no es esto mucho mejor que una guerra, y que encontrar eternamente faltas y errores en los demás? Naturalmente que lo es. Si tan sólo todas las naciones trataran siempre de ser amables y de ayudarse unas a otras, ¡cuánto más feliz sería este mundo!

R. HARLAN

Russ Harlan

HISTORIA **20**

Dios en el Campo de Frambuesas

LA MADRE de Benjamín y Anita había quedado sin trabajo y necesitaba dinero. Repentinamente recordó que en la granja del señor Jackson buscaban personas para recoger frambuesas.

—Hijitos, ¿les gustaría ir conmigo a juntar frambuesas? —les preguntó. De ese modo podríamos ganar un poco de dinero.

—¡Claro que sí! ¿Cuándo podemos empezar?

—Mañana, quizá —sugirió la madre.

—Pero mañana es viernes —dijo Anita.

—Lo sé —admitió la madre—, pero de todas maneras comenzaremos mañana, aunque sea al final de la semana.

Y a la mañana siguiente, muy temprano, los tres se dirigieron hacia el campo de frambuesas y recogieron tantas como pudieron. Benjamín y Anita estaban emocionados al pensar que podían ayudar a la mamá de esa manera, y querían ganar todo el dinero que podían. En ningún momento se quejaron, si bien se sentían muy cansados por la tarde.

Al final del día, el señor Jackson arrimó su camioneta y cargó las cajas de frambuesas, y allí mismo les pagó por su trabajo.

 A Anita le dio siete dólares; a Benjamín diez, y a la madre

un poco más. Todos estaban agradecidos y muy contentos. Había sido un buen día y ahora tenían suficiente dinero para comprar comida para el fin de semana.

—Tengo muchas ganas de llegar a casa y cambiarme de ropa —dijo la mamá.

—¿Podríamos ir por la orilla del arroyo? —preguntó Benjamín.

—Sí —consintió ella—, pero recuerden que el camino es más largo.

Como los niños dijeron que no les importaba caminar un poco más, fueron cruzando el campo de frambuesas hacia el arroyo. Y ya habían llegado a la orilla cuando Anita dio un grito, aunque no precisamente de alegría.

—¡Mi cartera! —exclamó—. ¿Dónde está?

—¡Oh! No la habrás perdido, ¿verdad? —preguntó la madre ansiosa.

—No sé —dijo Anita—. La tenía hace unos pocos minutos, pero desapareció. Debo haberla dejado caer en alguna parte.

—¿Y tenía todo tu dinero? —volvió a preguntar la madre, sin poder disimular su desaliento.

—Sí —confirmó Anita—. Todo lo que gané hoy. ¡Nunca

había tenido tanto dinero antes!

—¡Y tanto que lo necesitamos! —comentó la madre. Vayamos y veamos.

Pero el pasto estaba alto y espeso, y era como buscar una aguja en el pajar.

Buscaron durante una hora, sin suerte. Miraron por todas partes, aun por el arroyo, pero no encontraron ni rastros de la cartera.

Ahora el sol ya estaba más bajo y se veía que el cielo se estaba oscureciendo. Con hambre, cansados y desanimados, se detuvieron por un momento para pensar qué hacer. La madre y Benjamín dijeron que debían olvidar la cartera e ir a la casa; pero Anita pensó que debían mirar una vez más.

—¿Y no creen que si nos arrodillamos y le pedimos a Dios él nos ayudará? —preguntó.

—Tal vez debamos hacerlo —aceptó la madre—. Hagámoslo.

Así que los tres se arrodillaron en el campo de frambuesas y presentaron al Señor su problema diciéndole cuán necesitados estaban, y que ya no podían buscar más porque pronto se haría noche.

—Por favor, Señor —dijo Anita en su oración—, ayúdame a encontrar mi cartera. Tú sabes dónde está. Dínoslo, y nos iremos contentos a casa.

Entonces todos se levantaron y buscaron un poco más. Pero todo fue en vano.

—Temo que tengamos que irnos, querida —se resignó la mamá—. Ya es muy tarde. Es una lástima, lo sé, y lo siento...

Pero no pudo terminar la frase porque algo interfirió. "¡Aquí está!", fue su grito de júbilo. La cartera de Anita estaba justo a sus pies, a un metro más o menos, del arroyo. Casi la había pisado.

—Ahora debemos arrodillarnos otra vez y agradecerle a Dios —propuso Anita— porque él nos ayudó a encontrar mi cartera.

Y lo hicieron allí mismo, en el campo de frambuesas.

HISTORIA **21**

Cómo Chiquito Llegó a Quedarse

HACE muchos años, una fría mañana de invierno, el señor Ferrer estaba conduciendo su camión lechero rumbo al pueblo, cuando de pronto oyó un extraño quejido proveniente de la alcantarilla, al costado del camino. Detuvo el camión y fue a ver, y ¿qué piensan ustedes que encontró? Oh, ustedes nunca lo adivinarían. ¡Dos perritos, tan pequeños que parecían recién nacidos!

Mientras él se preguntaba cómo podían haber llegado hasta allí y qué debía hacer con ellos, apareció una mujer. Ella también había oído los gemidos de los perritos, y se preguntó de dónde provendrían.

—¡Qué lástima que traten así a unos perritos tan pequeños! —se compadeció ella—. ¡Pobrecitos!

—Pareciera como que alguien los abandonó aquí para que se murieran —comentó el señor Ferrer—. ¿Y qué podemos hacer con ellos?

—Yo no sé —dijo la señora—, pero si usted se hace cargo de uno, yo me haré cargo del otro.

—Está bien —aceptó el señor Ferrer, tomando al más pequeño—. Supongo que será mejor que lo abrigue, o se morirá de frío.

Como no encontró nada en el camión para abrigar al perrito, se quitó su propio saco, envolvió al perrito cuidadosamen-

te y se dirigió a la casa.

—¿Qué traes ahí? —preguntó la señora Ferrer, mirando el extraño bulto que él traía.

El señor Ferrer desenvolvió su saco y mostró el cachorrito. La señora se puso un poco nerviosa.

—¿Y qué piensas hacer ahora, Rodolfo? —interrogó—. ¿Qué vas a hacer con esa cosa aquí en casa? Es demasiado pequeño. Va a dar mucho trabajo alimentarlo.

—Pero yo no podía dejarlo allí para que se muriera de frío en el camino —repuso el señor Ferrer—. Por lo menos, démosle de comer una vez.

En ese momento entró Clarita.

—¡Oh, qué perrito más amoroso! —exclamó—. ¿Es nuestro? Quedémonos con él, mamá.

Y se quedaron con él. Después de haberle dado de comer las primeras veces, a la mamá también le empezó a gustar esa cosa tan pequeña y vivaracha.

Al principio nadie podía adivinar qué clase de perro era. Naturalmente, sabían que no era un cocker spaniel, porque

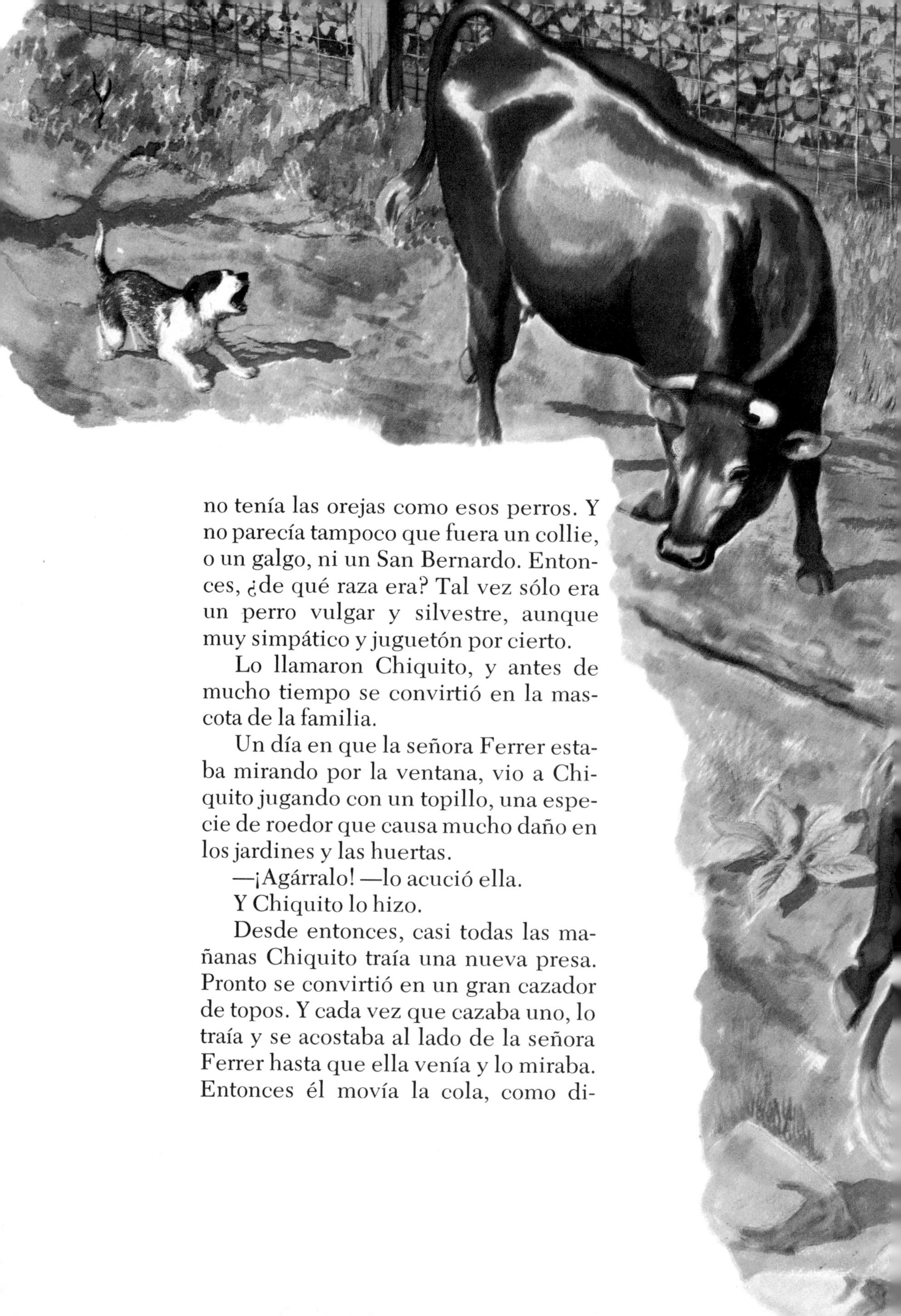

no tenía las orejas como esos perros. Y no parecía tampoco que fuera un collie, o un galgo, ni un San Bernardo. Entonces, ¿de qué raza era? Tal vez sólo era un perro vulgar y silvestre, aunque muy simpático y juguetón por cierto.

Lo llamaron Chiquito, y antes de mucho tiempo se convirtió en la mascota de la familia.

Un día en que la señora Ferrer estaba mirando por la ventana, vio a Chiquito jugando con un topillo, una especie de roedor que causa mucho daño en los jardines y las huertas.

—¡Agárralo! —lo acució ella.

Y Chiquito lo hizo.

Desde entonces, casi todas las mañanas Chiquito traía una nueva presa. Pronto se convirtió en un gran cazador de topos. Y cada vez que cazaba uno, lo traía y se acostaba al lado de la señora Ferrer hasta que ella venía y lo miraba. Entonces él movía la cola, como diciendo: "Aquí, señora, ¡mire! He agarrado otro más". En realidad, movía con gran placer, no sólo la cola sino todo el cuerpo.

Un día las vacas se escaparon del campo. Los hombres estaban lejos y la señora Ferrer no sabía qué hacer. ¿Podría Chiquito traerlas de vuelta? Nunca lo había hecho. La señora decidió probarlo. Chiquito, aunque era todavía un cachorro, entendió lo que se le enseñó y mantuvo las vacas alejadas de la huerta hasta que recibieron ayuda. Desde entonces, todos los días el perrito iba a buscar las vacas para el ordeño, como si lo hubiera hecho por años. A veces, en los días lluviosos, tenía que atravesar a nado una corriente de agua, ida y vuelta. Pero nunca vacilaba. Todo lo que la señora Ferrer tenía que decirle era: "¡Anda, trae las vacas, Chiquito!" Y Chiquito salía como una bala a buscarlas. Jamás fallaba.

Los Ferrer nunca habían tenido un perro más inteligente. Pequeño como era, se las ingeniaba por mantener a los vagabundos lejos de la casa. Para ello se acostaba junto al portón de entrada, mostrándoles los dientes y poniendo los pelos de punta. Y no hay duda de que ellos entendían perfectamente.

Los días en que Clarita tenía clases, la acompañaba hasta la parada del ómnibus escolar. Si éste se atrasaba, Chiquito se sentaba muy quietecito, en el tronco cortado de un árbol, mirando para ver si venía el ómnibus, mientras la niña leía un libro a su lado. Y por las tardes iba al mismo lugar para recibirla cuando ella regresaba de la escuela. Tampoco en esto fallaba el perrito.

Pero un día, al pobre Chiquito se le clavó una espina en el oído. Al principio no parecía que fuera importante, hasta que el oído comenzó a inflamarse y a supurar. Lo llevaron al veterinario, quien hizo todo lo posible para que mejorara, pero todo fue en vano. Chiquito empeoró gradualmente, y su dolor fue tan grande que el médico finalmente decidió que lo mejor era "ponerlo a dormir".

¡Qué día más triste fue ése para todos! La señora Ferrer lloraba, Clarita lloraba, y aun el señor Ferrer derramó una o más lágrimas. Era difícil creer que todos se hubieran encariñado tanto con aquel perrito extraviado que el papá había encontrado en la cuneta. ¡Cuánta felicidad había traído a toda la familia el acto de bondad del papá!

HISTORIA **22**

Demasiado Rápido

LUISITO gritaba de alegría como para que lo oyera toda la familia.

—¡Mamá! ¡Papá! ¡Nelly! ¡Tengo un camión de bomberos! ¡Tengo un camión de bomberos!

—¿Qué bulla es ésa? —lo refrenó la madre, un poco confundida por el ruido.

—¡Tengo un camión de bomberos, mamá! Ven a verlo.

Así que la familia salió para ver la maravilla. Y allí estaba, un camión de bomberos con pedales, con campana y una escalera a un costado. Con razón Luisito estaba tan contento. En realidad, la pintura estaba un poco saltada aquí y allá, pero ¿qué le importaba eso a él? Ahora tenía un camión de bomberos, y eso era lo que interesaba.

—¿Y dónde lo conseguiste? —le preguntó el padre muy serio.

—Fernando, el vecino de al lado, me lo vendió. No me costó mucho. Además, lo pagué con mi dinero, pues tú dijiste que yo podría gastar mis propios ahorros. —Y se detuvo al ver la cara seria del padre, para luego proseguir—: Es precioso, ¿verdad, papá?

—Bastante lindo —condescendió el papá. ¿Pero dónde vas a jugar con él?

—Este... alrededor de la casa... y en la acera —se le ocurrió a Luisito—. Y si Nelly promete portarse bien conmigo, la llevaré a veces.

—Yo me portaré bien —prometió Nelly—. Llévame a dar una vueltita.

—Bueno, ven —consintió Luisito. Y ambos se encaramaron en el camión de bomberos.

—Un momento —advirtió el padre—. Sé muy cuidadoso, Luisito. Manténte en la acera frente a la casa y alrededor de la cuadra. No tomes la pendiente ni vayas demasiado rápido.

—No te hagas problemas, papá —dijo Luisito, y se fueron.

Se divirtieron de lo lindo, y regresaron después de una hora, cansados, pero muy contentos. Luisito sintió que el pedalear tantas veces era bastante cansador para las piernas, pero de todas maneras le seguía gustando el camión.

Y, una y otra vez, ambos se pasearon alrededor de la cuadra en el camión de bomberos. Luisito comenzó a sentir más seguridad, y entonces cruzó la calle empujando el camión, para andar en la acera de enfrente.

—Todavía estamos frente a casa —dijo—, solamente que del otro lado de la calle. —Pero al rato comenzó a cansarse de andar de un solo lado de la manzana.

—Vayamos alrededor de la cuadra también —propuso dando vuelta la esquina—, y podremos ir cuesta abajo.

—No te olvides lo que dijo papá —le recordó Nelly.

—Ya sé —repuso él—, pero eso era cuando recién empezábamos a andar. Ahora no le preocuparía tanto. Y además, no es más que una subidita.

—Si es solamente una pequeña subida —comentó Nelly, aliviada— supongo que no habrá ningún peligro.

Entonces dio vuelta la siguiente esquina, porque la acera todavía tenía solamente una suave subida en la Calle de la Colina. ¡Qué divertido era ir cuesta abajo! "¡Esto es grandioso!", pensaba Luisito.

Pero cuando dobló la tercera esquina, ambos tuvieron que bajar y empujar el camión hacia arriba, por el largo y tortuoso camino, para regresar.

Con todo, ahora querían algo más movido.

—Vayamos alrededor de la cuadra de la otra manera —propuso Luisito—, así podremos andar cuesta abajo en lugar de tener que empujar el camión por la pendiente.

—¿Tú quieres decir de ese lado? —preguntó Nelly, señalando la subida que acababan de pasar, y que tenía el río al pie.

—Claro, ésa —dijo Luisito, riéndose del temor de su hermanita.

—¿Tú crees que podremos hacerlo? —preguntó Nelly, temerosa—. ¿Y podremos detenernos a tiempo?

—Claro que sí. Este camión hace todo lo que uno quiere. ¡No va a correr escapándose de mí!

—¿Y qué dirá papá cuando sepa que hemos estado andando cuesta abajo?

—Oh, él no se va a preocupar por eso —trató de tranquilizarla Luisito—. Además, no se enterará.

Así que ambos se encaminaron hacia la cuesta prohibida. Al principio, el camino era liso y suavemente inclinado; pero a medida que avanzaban se volvía más y más inclinado, y con más curvas, hasta llegar a la Calle del Río. Luisito estaba seguro de que se divertirían mucho con esas curvas.

Y mientras iban por el primer tramo, que era largo y suave, todo marchó bien. Luisito y Nelly se reían y gritaban de alegría. De pronto encontraron que el camino bajaba repentinamente y que comenzaba una curva cerrada. Nelly se puso muy nerviosa y dejó de reír.

—¡Oh, ten cuidado! —gritó alarmada mientras daban vuelta a la curva en dos ruedas—. Casi me tiras afuera.

—¡No te preocupes! —fue la respuesta de Luisito—. Esto es divertido. ¿No te gusta, hermana?

—¡N-n-n-no! —gritó Nelly, tomándose fuertemente del cuello de Luisito. ¡Para el camión! ¡Páralo!

—No puedo —gritó, a su vez, Luisito, tratando de tomar la curva sin ser despedidos—. Tenemos que seguir así hasta que lleguemos abajo.

¡Vum! Dieron vuelta a otra curva como un viento.

—¡Oh! —volvió a gritar Nelly—. ¡Páralo! ¡Páralo! ¡Páralo, por favor, Luisito!

—¡No puedo! —se declaró incapaz Luisito, que ahora comenzaba a sentirse ansioso también—. Mis pies se resbalaron

de los pedales y no puedo ponerlos otra vez en su lugar yendo tan rápido.

¡Vum! Dieron vuelta a otra curva, pero todavía estaban en el camino y del lado derecho, y Luisito tenía cierto dominio del camión.

Finalmente tomaron otra curva, y, oh sorpresa, enfrente de ellos apareció la Calle del Río y el camino de tierra.

—¡Oh! —se desesperó Nelly—. ¡El río! ¡Cuidado, cuidado, Luisito!

¡Si solamente él pudiera detener el camión! Pero no había nada que pudiera hacer.

Al cruzar la calle, el camión se volcó bruscamente y, luego de tomar el camino de tierra, fue a dar en medio del río. Afortunadamente éste no era muy profundo, y como no tenía piedras grandes, ninguno de los dos se lastimó mucho. ¡Pero qué espectáculo ofrecían! Y cuando se estaban preguntando qué podrían hacer, vieron un automóvil que venía cuesta abajo, y oyeron sonar una bocina. Entonces una voz, fuerte y severa pero muy familiar, resonó en sus oídos. Ambos se quedaron paralizados por la sorpresa.

—¡Luisito! ¡Nelly! ¿Qué están haciendo aquí?

¡Era el padre!

Este salió del auto, levantó a los dos niños casi en vilo, echó el camión de bomberos en el baúl del coche y se dirigió rápidamente a la casa para que los niños no se resfriaran.

—Luisito —amonestó el papá cuando estuvieron más cerca de la casa—, ¿cuándo aprenderás a seguir los consejos de los mayores? Yo te había dicho que te mantuvieras en la acera y evitaras las subidas y las colinas. Y yo sabía por qué te lo decía. Sin embargo, tú te fuiste cuesta abajo, con este camión, por la peor colina del lugar y, para empeorar las cosas, con Nelly. Nunca he visto tal tontería. De ser un río más profundo ustedes dos pudieron haberse ahogado, o un coche podría haberlos arrollado en esas curvas.

—Perdón, papá —dijo Luisito compungido—. No voy a andar más con el camión por la colina.

—Ciertamente que no irás —habló con determinación el padre—. Ese camión de bomberos va a quedar estacionado en el garaje ahora mismo, y estará allí hasta que tú seas suficientemente grande y sensato como para obedecer.

—¡Oh, no! —rogó Luisito.

—¡Oh, sí! —se mantuvo en su decisión el padre.

Y el camión de bomberos fue a parar al garaje hasta que Luisito se volvió un muchacho más cuidadoso y obediente.

HISTORIA **23**

La Búsqueda del Tesoro

AQUELLA había sido una tarde aburrida. La lluvia caía a cántaro roto, y por el modo como seguía lloviendo, los niños pensaron que no iba a parar jamás.

Todos se sentían más miserables que nunca, y hasta malhumorados, para decir la verdad.

Habían jugado a toda clase de juegos imaginables, y parecía que ya no quedaba nada más para hacer.

Y fue justamente cuando las cosas estaban tornándose más difíciles, tanto adentro como afuera, cuando vino a rescatarlos la mamá con una de sus ideas brillantes.

—Les propongo algo —dijo alegremente—. Juguemos al tesoro escondido.

Hubo un coro de aprobación.

—¡Buena idea! — aceptó Alfredo—. ¿Y qué vamos a buscar?

—¿Y habrá un premio? —gritó alborozada María Inés.

—Cualquier cosa, con tal que haya un cambio —murmuró Gilberto desde su asiento—. Empecemos de una vez.

—Yo quiero jugar también —rogó el hermanito menor—. Déjame jugar, mamita.

—Claro que sí —accedió la madre—. Y ahora, escuchen. Yo he escondido un tesoro en alguna parte de la casa, y les voy a dar quince minutos para encontrarlo. El que lo encuentra tendrá una torta que he preparado de postre para la cena.

—¡Qué bueno! —se entusiasmó Alfredo—. Entonces yo lo voy a encontrar.

—¿Pero cómo es? —quiso saber María Inés—. Porque todavía no tenemos una idea de cómo puede ser.

—Bueno —empezó la madre misteriosamente—, no es muy chico ni muy grande.

—Pero eso no nos dice mucho. Nosotros podríamos traer casi cualquier cosa —observó Gilberto.

—Lo sé —prosiguió la madre—. Pero este objeto en particular es la cosa más valiosa que tenemos en casa, y ustedes tienen que pensar qué es, antes de empezar a buscar.

—Hum —murmuró Alfredo, frunciendo el entrecejo—. ¿Qué puede ser? Yo no creo que haya algo de mucho valor en esta casa. ¿Es el viejo reloj de pared?

—No —respondió la madre—, naturalmente que no, y por favor, no trates de traer eso aquí. Y les digo esto: Es medio cuadrado, pero no es cuadrado, y tiene más de trece centímetros de ancho y diecinueve de largo. No está cerrado con llave, pero es como un cofre: cuando uno lo abre puede encontrar muchas cosas valiosas dentro.

—¡Oh, no me puedo imaginar qué puede ser! —dijo intrigado Gilberto.

—Piensa, entonces —lo alentó la madre—. Yo voy a empezar a contar dentro de un minuto. Y, cuidado, si ustedes miran en las gavetas de la cocina, o en los cajones de los dormitorios, deben dejar todo exactamente como lo encontraron. Si no, perderán el premio. Y ahora empecemos. ¡Uno... dos... y... tre-e-e-s-s-s!

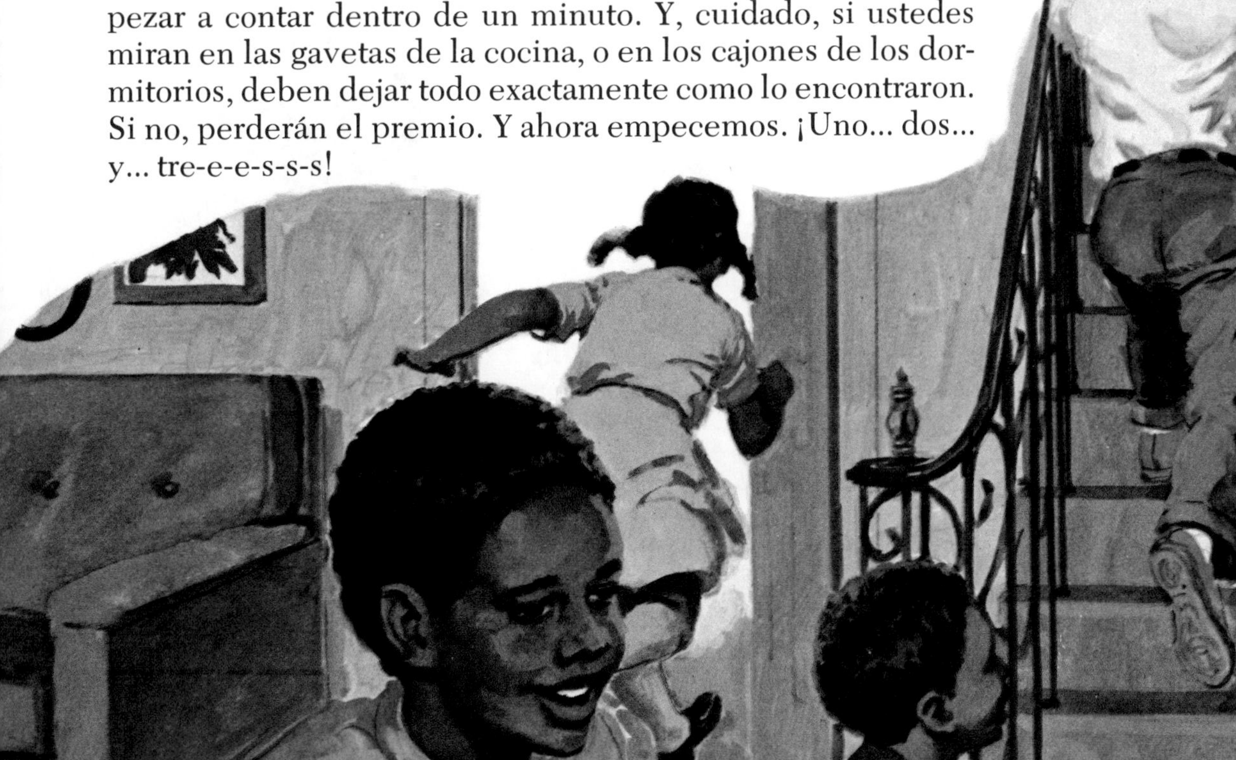

Los cuatro niños salieron corriendo en todas direcciones.

Gilberto se apresuró a ir a la cocina a ver en los estantes de las tazas porque recordaba que el papá guardaba allí una cajita negra con algunos papeles muy importantes dentro. Pero estaba cerrada; así que se fue a otra parte.

Alfredo se dirigió a la parte alta de la casa, y miró debajo de las camas, mientras el hermanito menor lo seguía a todas partes muy divertido.

¡Pam! ¡pam! ¡pam!, se fueron cerrando las puertas de los armarios de la cocina.

María Inés se puso a andar de aquí para allá, pensativa.

"Pero, ¿qué puede ser —se decía a sí misma— lo más valioso de esta casa? Hum. No puede ser dinero, porque no tenemos mucho dinero. No puede ser joyas, porque mamá no tiene ninguna. Hum. Podría ser un cuadro, pero no tiene más de diecinueve centímetros de largo, y aquí no hay cuadros de ese tamaño. Hum. Podría ser uno de esos adornos que hay allí; pero no, porque ésos no se pueden abrir. ¡Abrir! ¿Qué cosas se pueden abrir? Cajas, paquetes, portafolios y, hum, ¡sí, libros!"

Oh, ahora tenía una idea. ¿Por qué no se le había ocurrido antes?

Podría ser uno de esos antiguos libros en la biblioteca. Y se apresuró a ir a verlos de cerca.

—¡Sólo quedan tres minutos! —avisó la madre desde la cocina.

—Yo encontré algo —gritó Gilberto.

—Y yo también —rivalizó Alfredo, cuya voz parecía provenir del techo.

—Y yo también —se hizo eco el hermanito menor desde el mismo lugar.

María Inés miraba ansiosamente las hileras de libros; pero ¿cuál podría elegir entre todos ellos? Muchos de los títulos que leía ni siquiera los conocía. Había libros de historia, de astronomía, de literatura y de muchas otras cosas. También algún grueso diccionario. De repente, divisó entre dos grandes libros uno más chico. Una sonrisa de felicidad se dibujó en su rostro.

—¡Ajá! —se dijo a sí misma mientras lo tomaba y se apresuraba a ir al comedor.

—¡Ya está! —anunció la madre.

Y todos aparecieron a la vez.

—Bueno, ¿qué me pueden mostrar? —preguntó la madre.

—Tu cartera —sugirió Gilberto.

La madre se rió.

—¡Así que tú piensas que lo más valioso en esta casa es mi cartera! Bueno, no lo es, ni de lejos, especialmente los fines de semana.

—Me parece que lo tengo yo —dijo Alfredo, trayendo una caja antigua y polvorienta de madreperla que había encontrado en el desván.

—¡Bueno, eso sí que no! —exclamó la madre—. ¿Y cómo encontraste eso? Yo no la veía desde hacía años. Pertenecía a mi abuelita, y tiene un gran valor para mí. Sin embargo, no es la cosa más valiosa que he escondido y que quería que ustedes encontraran.

Alfredo miró un tanto chasqueado.

—¿Y qué has traído tú, querido? —preguntó la madre al hijito menor.

—Yo me traje a mí mismo —dijo el niñito, a lo cual la madre, tomándolo en la falda, respondió con un abrazo que duró un minuto entero.

—Tú eres seguramente la cosa más dulce del mundo —asintió ella, besándolo—. Pero ¿nadie ha encontrado lo que yo he escondido?

María Inés estaba segura de que ella había descubierto el tesoro, y éste era el momento de mostrarlo.

—¡Muy bien! ¡Acertaste! —exclamó la madre—. ¡María Inés ha ganado! ¿Y qué te hizo pensar que ése era el tesoro, querida?

—Bueno, no sé —dijo la niña—. Yo lo vi y adiviné.

—¡Quién lo hubiera pensado! —terminó por reconocer Gilberto—. ¡Una Biblia!

—Sí —dijo con seguridad la madre—. Y me pregunto por qué ustedes no pensaron en ella. Naturalmente que la Biblia vale más que cualquier otra cosa en esta casa. Cuando la abrimos, podemos encontrar que está llena de tesoros. Es como una mina de oro de la verdad, llena de hermosas historias del amor de Jesús, de consejos y enseñanzas. Sí, no hay otra cosa más preciosa que la Biblia.

—Pero uno puede comprarla con poco dinero —observó Gilberto.

—Lo sé —reconoció la madre—. Pero recuerda que hubo una época cuando una Biblia costaba mucho dinero. Aunque la manera como hoy se imprime la Biblia ha permitido que sea barata, no quiere decir que no contenga los mismos preciosos tesoros que tenía antes.

—Ojalá se me hubiera ocurrido eso —exclamó Alfredo, mirando codiciosamente la mesa.

—No te preocupes —dijo María Inés amablemente—. Cortaré la torta en cinco pedazos y le daré uno a cada uno.

—Mamá —pidió Alfredo—, ¿por qué no nos lees una historia de la Biblia después de la cena?

—¡Cómo no! —contestó la madre—. Abriremos el cofre y disfrutaremos de algunos de los tesoros que han sido puestos allí para nosotros.

HISTORIA **24**

La Mala Costumbre de Mirta

HABIA una cosa que Mirta no podía hacer, y era reconocer cuando había cometido un error. Desde que era muy pequeña, hasta que tuvo diez años de edad, nunca pudo hacerlo. En lugar de reconocer en seguida cualquier error que hubiera cometido, trataba de encubrirlo con una historia que fabricaba para que no se supiera la verdad.

Naturalmente, eso no era correcto, y la madre siempre la descubría. Y aunque Mirta, feo es decirlo, mentía, la madre siempre le hacía decir la verdad finalmente, y siempre había un castigo que sufrir, lo cual no era agradable para nadie.

Pero a pesar de que Mirta había inventado docenas de historias como éstas, y se había descubierto eso la misma cantidad de veces, todavía seguía fabricando historias, con los mismos tristes resultados. Con todo, un día sucedió algo que la hizo cambiar.

Era Navidad, y cuando Mirta abrió los regalos, se encontró con el reloj de pulsera más hermoso que había visto en su vida. Estaba demasiado feliz como para decir algo. Nunca hubiera podido imaginar que el papá y la mamá le obsequiarían con algo tan precioso.

Mirta se puso el reloj en la muñeca y a cada momento lo miraba. Pensar que era de verdad, y que andaba bien, y que no era un reloj cualquiera, como el que había tenido antes...

¡Cómo la envidiarían las compañeras de la escuela!

Naturalmente, el padre y la madre le habían dicho que fuera muy cuidadosa porque era un regalo muy caro. Había que darle cuerda lentamente, y nunca darle demasiada cuerda. Además, debía quitárselo de la muñeca antes de lavarse las manos o los platos. Y, naturalmente, debía quitárselo antes de bañarse.

—Si tú cuidas este relojito —le aseguró el padre—, te puede servir hasta que vayas a la universidad.

—Oh, yo lo cuidaré mucho —prometió Mirta—. Créanme que lo haré. Por nada del mundo permitiré que se dañe. Es la cosa más preciosa que he tenido hasta ahora.

Alrededor de un mes más tarde, una noche Mirta se dio un buen baño. Se había lavado la cabeza, y ya estaba por salir cuando, de repente, ¡se dio cuenta de que todavía tenía puesto el precioso reloj en la muñeca! Helada de miedo, salió de la bañera, se quitó el reloj y se lo acercó al oído. ¡Había dejado de andar!

—¡Oh! —lamentó—. ¡Mi precioso reloj! ¡Lo he arruinado! ¡Lo he arruinado!

Y entonces le vino el tremendo pensamiento: "¿Qué dirá

mamá? ¿Y qué dirá papá?", y sintió que no podría siquiera mirarlos directamente a los ojos. Tan amables y amorosos como eran, pensó ella, y sin embargo no se animaba a decirles la verdad de lo que había sucedido.

¿Pero qué hacer? Si ella no usaba el reloj, ellos se preguntarían por qué. Y si lo usaba, ellos se darían cuenta de que no andaba y le comenzarían a hacer preguntas. Así que decidió inventar una historia en cuanto al reloj de pulsera, confiando que ellos no le preguntarían nada más.

Durante unos cuantos días, Mirta guardó el secreto para sí. Pero una mañana, mientras tomaban el desayuno, el papá le preguntó la hora.

—No sé bien —dijo poniéndose un poco colorada—. Temo que mi reloj se haya parado.

—¿Parado? —se mostró sorprendido el papá—. No lo puedo creer. ¿Te olvidaste de darle cuerda anoche?

—Oh, no... no... —repuso Mirta—. Le di cuerda, pero... bueno... Se paró.

—Déjame ver —pidió el papá.

Mirta se quitó el reloj y se lo entregó.

—¡Qué extraño! —comentó el papá—. Pareciera que tuviera un poco de vapor debajo del vidrio. Me pregunto por qué.

—Yo también me lo he estado preguntando —dijo Mirta— Tal vez se me mojó cuando fui afuera anoche en medio de la lluvia. Pero yo no pensé que la lluvia pudiera pasar a través del vidrio.

—Yo tampoco lo creería —coincidió el padre—. Lo miraré

después cuando vuelva a casa del trabajo.

Cuando el padre salió, la madre le pidió a Mirta que le permitiera ver el reloj. También ella notó esa especie de vapor debajo del reloj.

—Muy extraño —comentó ella—. Puedo ver como pequeñas gotitas de agua allí también. Mirta, ¿estás segura de que tuviste el reloj afuera bajo la lluvia?

—Sí, mamá, sí. Llovía bastante fuerte.

—Sin embargo anoche no llovió —refutó la madre, que había empezado a sospechar—. No llovió nada anoche.

—Entonces debe haber sido la noche anterior —se rectificó Mirta, poniéndose un poco más colorada aún.

—¿Estás segura de que el agua del reloj es agua de lluvia?

—Sí... este... sí... Creo que debe ser —dijo Mirta.

—¿Estás segura de que no es agua de algún baño que te diste? —preguntó la madre muy seria.

—No... este... sí... este... no... no estoy segura —vaciló Mirta, ahora muy turbada.

—¡Dime la verdad, Mirta! Te bañaste y te olvidaste de quitarte el reloj de la muñeca; confiésalo.

—Sí —admitió ella—, me olvidé.

—Entonces ¿por qué me contaste toda esa historia acerca de la lluvia y el reloj?

—Porque tenía miedo de lo que tú y papá podrían decirme.

—¿Cuándo hiciste esto?

—La semana pasada; creo que el lunes de noche.

—Oh, qué lástima, hace demasiado tiempo. Si solamente me lo hubieras dicho en seguida en lugar de mentirnos todo este tiempo. Porque si me lo hubieras dicho en cuanto ocurrió, yo sin más lo hubiera llevado al relojero y él lo hubiera secado, y nada le hubiera pasado a tu reloj. Ahora debe estar todo oxidado por dentro, y probablemente nunca más ande.

—¡No va a andar más! —sollozó la pobre Mirta—. ¡Oh, si solamente te lo hubiera dicho en seguida! ¿Por que se me ocurrió mentir? Ahora he perdido para siempre mi precioso reloj.

Fue una lección difícil, muy difícil, la que Mirta aprendió ese día. Pero me alegro de poder decirles que realmente la aprendió, porque después, cada vez que se tentaba a cubrir un error contando una historia falsa, recordaba lo que le había pasado con su precioso reloj, y decía la verdad.

HISTORIA **25**

El "Sandwich" de Andrés

TODAVIA faltaban varios meses para la Navidad en aquella hermosa mañana cuando Andrés andaba por uno de los parques de la ciudad en que vivía. En realidad, ni siquiera pensaba en cuanto a la Navidad. Tampoco se le hubiera ocurrido que lo que sucedería ese día iba a traerles felicidad a él y a su familia el siguiente 25 de diciembre.

Todo lo que pensaba en ese momento era que tenía hambre. Y tenía tanta, que comenzó a preguntarse si se había olvidado de tomar el desayuno. Deseó haber traído algo para comer, por lo menos una fruta o algunas galletitas. Buscó en sus bolsillos, pero no pudo encontrar ni una miguita de pan.

Como los amigos con quienes solía jugar no habían aparecido todavía, se puso a andar de aquí para allá mirando las flores y buscando entre las matas para ver si encontraba algún nido.

De pronto vio un paquete. Era pequeño, como el tamaño de un sandwich, y estaba envuelto en papel celofán. Pensando que, de seguro, sería un sandwich, lo tomó ansiosamente, esperando que las hormigas no hubieran entrado dentro del paquete.

La verdad es que el paquete, hacía pensar en un sandwich. Era verde por dentro y nadie culparía a un muchacho con tanto apetito por pensar que era algo para comer. Pero no

9—C.H.-5

Russ Harlon

era un sandwich. Era dinero. ¡Mucho dinero! Andrés nunca, en toda su vida, había visto tanto dinero junto.

En su entusiasmo se olvidó de que tenía hambre, pero comenzó a preguntarse qué debía hacer .

Su primer pensamiento fue correr a la casa y mostrarle a la mamá lo que había encontrado. Luego recordó algo que ella le había dicho hacía un tiempo ya:

"Si alguna vez encuentras algo que no te pertenece, llévalo a la jefatura de policía. El dueño probablemente estará buscando lo que perdió y se alegrará mucho de que se haya encontrado. Esto es hacer a los otros lo que nos gustaría que hicieran con nosotros".

Andrés pensó acerca de eso por un momento. Entonces hizo su decisión. Puso el paquete en el bolsillo y corrió hacia la jefatura de policía más cercana, que no estaba muy lejos de la entrada del parque. Empujó la gran puerta de vidrio, y luego vaciló.

—¿Qué puedo hacer por ti, hijo? —preguntó el gran policía sentado junto al escritorio.

—Por favor, señor, he encontrado algo —informó Andrés—. Parece que es dinero.

El policía tomó el paquete.

—¡Fiu! —silbó después de contar doscientos diez dólares—. Efectivamente es dinero. ¿Dónde lo encontraste?

Andrés le contó todo.

—Gracias —dijo el policía—. Muchas gracias. Nos gustan los muchachos honestos. Vamos a guardar el paquete aquí durante unas semanas y ver si alguno lo reclama. Y si nadie lo hace, te devolveremos el dinero a ti.

—¿A mí? —exclamó Andrés, muy sorprendido.

—Esa es la ley —dijo el policía—. Pero no te ilusiones mucho. Generalmente la gente que pierde una gran cantidad de dinero pronto viene a preguntar por él. Dime tu nombre y tu dirección.

Andrés corrió hacia la casa para contarle a su mamá lo que había sucedido.

"Por favor, señor, he encontrado algo —informó Andrés—. Parece que es dinero".

—Estoy orgullosa de ti —le expresó ella—. Has hecho exactamente lo que debías hacer. Probablemente no te darán el dinero, ni siquiera una recompensa por haberlo encontrado. Pero no importa. Hiciste lo que era honesto y bueno, y eso es lo que importa.

Andrés volvió al parque, comiendo la manzana más grande que la mamá pudo encontrar.

Pasaron los días, las semanas y los meses, y el "sandwich" de Andrés fue olvidado. Y también la esperanza de recibir alguna recompensa por entregar el dinero que había encontrado.

Pasó octubre. También noviembre. Y, finalmente, la mayor parte del mes de diciembre.

Faltaban sólo tres días para la Navidad. La mamá debía haberse sentido contenta, pero no lo estaba. Había tenido la

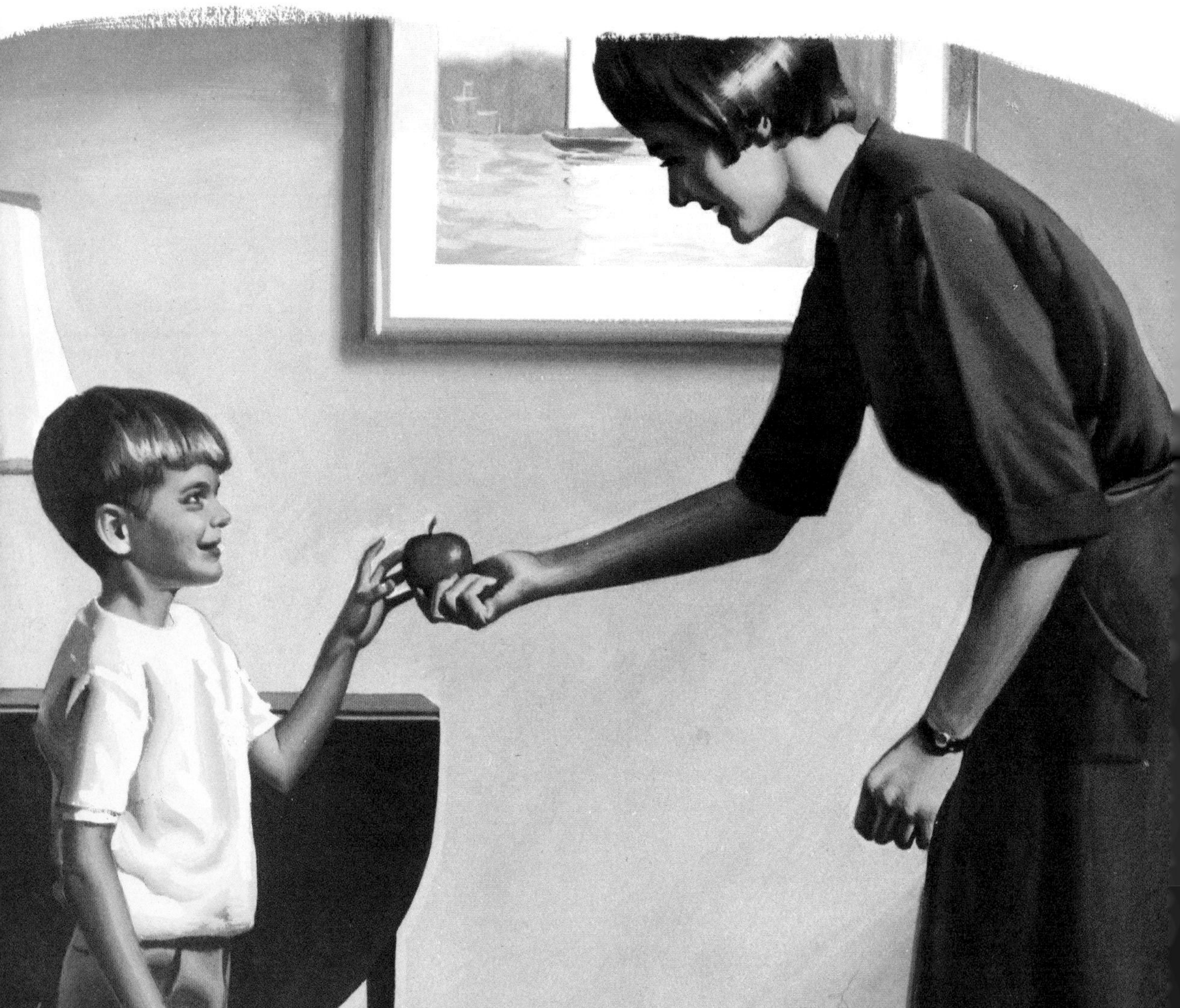

esperanza de que ese año podrían celebrar una Navidad más linda que nunca, pero ahora sabía que no podría hacerlo. Había demasiadas cuentas que pagar.

Entonces, un día, alguien llamó a la puerta.

La madre se secó las manos en el delantal, se arregló ligeramente el cabello y se apresuró a abrir la puerta. Andrés la siguió.

Ambos quedaron muy extrañados al ver a un gran policía afuera.

—¿Qué pasa? —preguntó la madre ansiosa.

—Nada, en realidad, señora —dijo él amablemente—. Creo que usted tiene un hijo muy honesto.

—Espero que sí —se sintió orgullosa ella—. ¿Usted se refiere a Andrés?

—Sí —dijo él, sacando algo del bolsillo—. Hace algunos meses él encontró este paquete en el parque y lo trajo a la comisaría.

—¡Es mi "sandwich"! —gritó Andrés lleno de alegría.

—Bueno —explicó el policía—, como nadie lo ha reclamado, se lo devolvemos al que lo encontró. Tenga la bondad, señora, de firmar este recibo.

La mamá suspiró, y el policía se fue. ¡Qué gritos de gozo llenaron la casa!

Parte del dinero fue usado para abrir una cuenta de banco a nombre de Andrés; otra parte, para comprar alguna ropa para sus hermanos, para sus hermanitas y para sí mismo; y una tercera fue usada para conseguir regalos muy especiales de Navidad. El "sandwich" de Andrés resultó estar lleno de la alegría de la Navidad.

¡Y qué Navidad fue aquélla! La más hermosa que habían tenido. Y todo porque un niñito había aprendido a ser honrado.

HISTORIA **26**

El Impresor que Naufragó

HIRAM BINGHAM siempre había anhelado ser misionero. Ahora su sueño se había convertido en realidad: estaba de viaje hacia las islas del Pacífico.

Finalmente, después de un largo y bravío viaje en un buque de vela —esto sucedía en 1857—, llegó a un lugar solitario en las islas Gilbert.

Allí predicó y trabajó durante muchos años, haciendo todo lo que podía para convertir a los nativos al cristianismo. Pero era una tarea difícil, especialmente porque en aquellos días la

Biblia no estaba traducida en el idioma del lugar. Cada texto, cada sermón, tenía que ser traducido por un intérprete.

Gradualmente Hiram llegó a familiarizarse con el idioma. Entonces decidió traducir a lo menos una porción de la Biblia

para que la gente de la isla pudiera leer la Palabra de Dios en su propio idioma. La porción elegida fue el libro de San Mateo, cuyo hermoso mensaje vertió al idioma nativo tan simple y claramente como pudo.

Pero entonces se hizo esta pregunta: ¿Cómo podía hacerlo imprimir? Ciertamente en aquellos días no había ninguna imprenta en esas islas. El lugar más cercano donde se lo podía imprimir era Hawai, que quedaba a más de tres mil kilómetros de distancia. Pero Hiram decidió que de todos modos debía imprimirse, así que envió su precioso manuscrito en el barco de la misión para que fuera publicado en Honolulú, la capital de Hawai.

Pasaron trece largos meses sin que se oyera nada acerca de él.

Finalmente volvió el barco de la misión. Había muchas cajas y cajones a bordo, pero ni un solo ejemplar del Evangelio de San Mateo. Ni uno siquiera. El manuscrito no había sido impreso. ¡Qué desilusión después de tan larga espera!

Sin embargo, encontró en el cargamento algo que lo alegró. Al abrir las cajas que tenían su dirección vio, entre otras cosas, una pequeña prensa. El pueblo de Hawai, que no pudo imprimir su libro, le enviaba una vieja prensa de mano, con la sugerencia de que él mismo imprimiera el libro.

Pero Hiram no sabía cómo hacerlo. A pesar de que estudió las instrucciones que había en un manual que acompañaba a la prensa, no le encontraba sentido. Pronto llegó a la conclusión de que su versión del Evangelio de San Mateo nunca podría ser impresa si ello debía depender de él mismo. Entonces, ¿qué podría hacerse? No había nadie en todas las islas Gilbert que pudiera entender ese aparato y, tristemente, lo dejó a un lado.

Y el barco que había venido, se fue, como si nada hubiera acontecido.

Entonces Hiram oró mucho a Dios para que enviara a alguien que supiera manejar la prensa y pudieran así imprimir su precioso manuscrito del Evangelio de San Mateo. Sin embargo, parecía que su oración nunca iba a ser contestada. Muy poca gente iba a visitar las islas en aquellos días. ¿Y qué razón había para que un impresor fuera a un lugar donde la gente ni sabía leer y donde ni siquiera se había oído que hubiera ninguna imprenta? Sin embargo Hiram estaba seguro de que algún día, de alguna manera maravillosa, Dios contestaría su oración.

Una mañana, mirando hacia el mar, divisó un pequeño bote que trataba de llegar a la orilla. Imaginó que era un salvavidas de algún barco que había naufragado, y tenía razón. Entonces se preguntó cuántos marineros habría a bordo, y cuánto tiempo habrían estado a merced de las olas en aquella frágil embarcación.

De pronto comenzó a latirle el corazón fuertemente. ¡Sí! ¡Había señales de vida en el bote! Tres siluetas estaban haciendo señales.

Con la ayuda de algunos isleños, Hiram pudo acercar el bote a la orilla. Los tres hombres eran, efectivamente, los sobrevivientes de un naufragio. Su barco se había hundido en una tormenta a unos mil kilómetros de distancia, y ellos habían estado navegando durante diez días en busca de alguna isla. El resto de la tripulación se había ahogado.

Después que los tres hombres comieron y descansaron, Hiram habló con ellos acerca de sus planes para el futuro. Y, para su sorpresa, uno de ellos dijo: "Yo soy impresor".

¡Un impresor! De todos los náufragos sólo tres se habían

salvado, y uno de ellos era impresor.

Ustedes se imaginarán la alegría y el agradecimiento de Hiram cuando supo esto. Inmediatamente él y su nuevo amigo comenzaron a hacer planes para imprimir el precioso manuscrito. El señor Hotchkiss, que así se llamaba el impresor, comenzó a armar la prensa y en pocas semanas ya estaba funcionando.

Poco después salió de esa prensa la primera edición del Evangelio de San Mateo completo, en el idioma de la gente de las islas Gilbert. Se puede ver un ejemplar del mismo en la oficina principal de la Sociedad Bíblica Americana, en la ciudad de Nueva York.

Como resultado de la obra de esa pequeña imprenta y de la predicación del Evangelio en aquellas islas lejanas, casi toda la población aceptó a Cristo. Hoy hay varios miles de cristianos allí. Dios salvó a un impresor de un naufragio para que esto fuera posible.

HISTORIA **27**

Una Cicatriz en el Pie

MARGARITA tiene una cicatriz en un pie. Si ustedes fueran a la playa con ella para nadar o andar por la orilla del agua, la notarían. Parece bastante antigua. Y lo es. Dudo que Margarita les contaría el origen de esa cicatriz.

Pues les diré cuál fue. Cuando Margarita era una niña de cinco años de edad, se interesó en trabajar en el jardín de su madre. Pero de repente quiso tener, dentro de ese jardín, una parte que ella pudiera cultivar por sí misma.

—Si tú me dejas tener un pedacito —le propuso a su madre—, yo lo cultivo, lo riego y lo deshierbo.

—Pero tú eres muy pequeña para eso —objetó la madre, quien no quería que parte de su jardín se llenara de malezas.

—Oh, no —replicó Margarita—. Yo soy grande, y mi pedacito va a ser el mejor de todos. Ya verás.

Finalmente la mamá accedió a darle un pedacito de su terreno.

—Pero debes cuidarlo bien —le advirtió—; si no, me lo vas a tener que devolver.

Margarita se puso muy contenta y se llevó a la mamá casi a la rastra para marcar los límites.

Una vez que hicieron esto, tomó la horquilla más pequeña y comenzó a remover la tierra. Como poco antes había caí-

do una buena lluvia, la tierra estaba suelta y era fácil removerla. Margarita sentía gusto en hacerlo.

Al día siguiente fue a trabajar otro poco. Y al otro día, al volver de la iglesia, se cambió de ropa, tomó su horquilla y se puso nuevamente a trabajar.

La mamá se acercó a Margarita.

—Pero tú no vas a trabajar en el jardín hoy —se opuso la mamá.

—¿Por qué no? —preguntó la niña.

—Porque hoy es el día de guardar. Tú sabes eso, pues acabas de venir de la iglesia.

—Lo sé, ¿pero por qué no puedo trabajar en mi jardín hoy?

—Porque eso es hacer un trabajo, y no debemos trabajar en el día del Señor.

—¿Y por qué no debemos hacerlo?

—Tú sabes por qué —dijo la madre—. Dios lo ha dicho.

Y entonces recitó el cuarto mandamiento que dice: "Acuérdate del día de reposo [o sea el sábado] para santificarlo. Seis días trabajarás, y harás toda tu obra; mas el séptimo día es resposo para Jehová tu Dios; no hagas en él obra alguna, tú, ni tu hijo, ni tu hija" (Exodo 20: 8-10).

—Y porque tú eres mi hija —agregó la mamá—, es mejor que entres ahora.

No muy contenta, Margarita clavó la horquilla en el suelo y se fue a la casa con su madre. En el camino murmuraba:

—Yo no veo por qué no pueda trabajar en mi jardín hoy.

La mamá trató de explicarle que no es bueno hacer nuestros trabajos en el día del Señor, pero no parecía que a Margarita le interesara eso, pues se quejó, rezongó y hasta rehusó escuchar cuando la madre comenzó a contarle una historia de la Biblia.

Mientras la madre no miraba, poco a poco, Margarita salió de la casa, se dirigió al jardín y comenzó a trabajar otra vez. Y entonces algo ocurrió.

Como ella estaba de mal talante, no todos sus movimientos eran muy coordinados, y en lugar de hundir la horquilla en el suelo, se la clavó en el pie. Uno de los dientes de la horquilla le atravesó la zapatilla y se le metió en un dedo. ¡Y qué grito dio ella!

Sus gemidos hicieron que la madre corriera hasta el jardín. La mamá desclavó la horquilla y llevó a Margarita para adentro. No la regañó mientras desinfectaba y vendaba la herida, pero con tierno y amoroso cuidado trató de hacerle entender la importancia de la obediencia. Luego la llevó al doctor.

A Margarita todavía le gusta trabajar en el jardín, pero lo hace solamente seis días por semana. El séptimo día, cuando va a ver las hermosas flores del jardín que ella ha plantado, su corazón se regocija y se llena de felicidad. "Gracias, querido Señor —dice—, por haber creado estas hermosas flores que crecen en mi jardín. Siempre recordaré el día de descanso y lo mantendré santo".

D L M M J V S
1
5 6 7
12 13 14
18 19 20 21
25 26 27 28

HISTORIA **28**

Cuando Lorenzo se Cayó en el Pozo

EL POZO era muy hondo. Tenía aproximadamente 160 metros de profundidad, y el agua en sí, alrededor de 75 metros.

Pero aunque el pozo era muy profundo, no tenía suficiente agua para abastecer a los agricultores, que necesitaban grandes cantidades para regar sus sembrados. Por eso decidieron ahondarlo más todavía.

Un día llegó el pocero, trayendo consigo a su hijito Lorenzo, de siete años de edad, a quien le encantaba ver cómo trabajaba el papá.

La primera cosa que hicieron el papá de Lorenzo y sus ayudantes fue desmantelar toda la maquinaria de la parte de arriba del pozo. Luego, sección por sección, desarmaron la polea de metal que sostenía a la bomba abajo en el pozo. Para que no cayera tierra, piedras o aun pequeños animales mientras preparaba la máquina perforadora, el papá de Lorenzo colocó un tablón sobre la abertura del pozo, la cual tenía unos 40 centímetros.

Por alguna razón conocida solamente por algunos muchachitos, Lorenzo pensó que sería interesante saltar por encima del tablón mientras su papá, muy ocupado, miraba en otra dirección.

El séptimo día de la semana es muy especial. Dios lo llama "mi día santo". Jesús nos invita a todos a guardar el sábado como lo hizo él.

De repente hubo un fuerte crujido, seguido de un grito desesperado.

El papá se dio vuelta justo a tiempo para ver que Lorenzo desaparecía en el pozo. Corriendo hacia el borde de éste, llamó angustiosamente:

—¡Lorenzo!

Pero era demasiado tarde para ayudarlo. Con una velocidad creciente el pobre Lorenzo iba cayendo como una piedra, metro tras metro, hacia abajo.

Y hacia abajo, hacia abajo, hacia abajo iba. ¡85 metros!

El pobre padre volvió a llamar con desesperación:

—¡Lorenzo!

Y, aunque no esperaba hallar respuesta, desde abajo llegó la débil voz del niño:

—Aquí estoy, papá. ¡Sácame en seguida!

Afortunadamente el pedazo de madera que se había caído delante de Lorenzo había comprimido el aire en el pozo y aminorado el golpe de la caída. Ahora Lorenzo se hallaba flotando en las oscuras aguas con solamente una pequeña luz encima de él.

El papá estaba al lado del pozo, sin saber qué hacer.

—Me largo detrás de él —de pronto gritó a los otros hombres que trabajaban con él—. Atenme una soga y ayúdenme a bajar.

—Usted no puede bajar —se opusieron terminantemente—. Sus pies hundirían al muchacho.

—Entonces bajaré de cabeza —propuso el desesperado padre.

—Pero entonces usted quedará trabado y morirán los dos.

—Creo que tienen razón —concordó el padre—. Tendremos que bajar una cuerda sola.

Pero no había ninguna cuerda, sino sólo un cable de metal.

Ansiosamente el padre empujó el cable hacia abajo, pero empezaron a cortársele las manos. Y como, por añadidura, el cable se arrollaba y se trababa en las paredes del pozo, tuvieron que sacarlo.

—¿Nadie puede conseguir una soga? —gritó el padre desesperado, porque el tiempo pasaba rápidamente.

Uno de los hombres recordó que había una soga y un aparejo de poleas en una hacienda a unos diez kilómetros de distancia, y a toda velocidad se alejó para buscar la soga.

—¿Cómo estás, Lorenzo? —quiso saber el padre.

—Todavía estoy bien, pero ¡apresúrate, papá, apresúrate!

—Nos estamos moviendo lo más rápido posible, hijo —trató de animarlo el papá—. ¡Manténte a flote! Trata de apoyarte contra las paredes del pozo. Pero no te desesperes. ¡Ya te vamos a sacar!

Para entonces el hombre había vuelto con la soga. Había traído de toda clase de sogas, las había atado juntas, y había hecho una sola cuerda de casi cien metros de largo, con un gran lazo en un extremo.

El padre gritó otra vez:

—¡Lorenzo! Ahí baja una soga. Trata de asirte del lazo y ponlo debajo de tus dos brazos.

—¿Pero no puedo cogerlo con las manos? —preguntó Lorenzo.

—¡No! —dijo el padre—. No. Haz exactamente como te digo. Pon el lazo debajo de tus brazos.

—Está bien, papá.

—¿Lo has tomado?

—Sí.

—¿Pero está debajo de tus dos brazos?

—Sí, papá.

—Trata de mantenerlo así todo el tiempo; todo el tiempo, aunque te duela o te canses.

Varios hombres comenzaron a subir la soga, con un pánico mortal, temiendo que Lorenzo se zafara del lazo.

¿Había hecho el muchacho exactamente lo que el padre le había dicho? ¿Estaba la soga debajo de ambos brazos, o solamente debajo de uno?

Poco a poco la soga fue subiendo del pozo. Quince, treinta, sesenta metros. Y a medida que pasaba el tiempo, la voz de Lorenzo se oía más fuerte. ¡Estaba subiendo con la soga!

Cuando apareció su cabeza, el papá, anhelante, lo tomó en sus brazos.

¡Su muchacho estaba salvo! ¡Realmente parecía volver de la muerte!

El padre lo abrazó fuertemente, pero Lorenzo dio un grito de dolor. Tenía ambas piernas quebradas. Entonces lo llevaron de urgencia al hospital, donde tuvo que permanecer varias semanas.

¡Qué muchacho valiente! Durante cuarenta y cinco minutos estuvo abajo en el pozo, con ambas piernas quebradas, sin perder la esperanza, sin desesperarse y haciendo exactamente lo que su padre le había dicho.

—El siempre hizo lo que le indicamos —dijo el padre orgullosamente— ; ésa es la verdadera razón por la cual Lorenzo pudo salir vivo de ese pozo tan hondo.

HISTORIA **29**

Georgina y el Pájaro de Cristal

UNA HERMOSA tarde de domingo, Georgina, su hermano Jorge y su primo Ramón estaban platicando en la calle donde vivían. De pronto, uno de ellos propuso:

—¿Qué les parece si damos un paseo?

—¿Por dónde? —preguntó Ramón.

—No sé —dijo Georgina—. Sería lindo ir hasta la florería del señor Meléndez. A mí siempre me gusta mirar la fuente de agua. Ojalá esté funcionando hoy.

—Buena idea —aprobó Jorge—. Vayamos.

Así que los tres, sin ningún apresuramiento, se dirigieron a la florería. Por fortuna, el surtidor de la fuente estaba funcionando, y los tres se detuvieron a observarla.

Estaba tan bonita, con el agua que bajaba haciendo cascadas, llena de lirios, adornada aquí y allá con pájaros de cristal. Era como un pequeño pedazo de escena campestre que alguien hubiera traído a la ciudad.

—¡Qué fría está el agua! —exclamó Georgina, al poner su mano en el agua.

—¡Cuidado con el pájaro! —advirtió Jorge, pero lo hizo demasiado tarde.

Mientras Georgina retiraba la mano, había tocado sin querer uno de los pájaros de cristal, el cual se cayó y se hizo añicos.

—¡En qué lío te metiste! —gritó Jorge, echando a correr tan rápido como podía, con Ramón que lo seguía detrás a corta distancia.

Georgina no corrió. Se quedó allí mirando tristemente el pájaro quebrado y preguntándose qué debía hacer. Pensó que debía decírselo al dueño del negocio. Pero como era domingo, el negocio estaba cerrado. No había nada que hacer sino irse a casa.

Los muchachos estaban esperándola, a una distancia prudente, por supuesto. Y estaban llenos de consejos, aunque ninguno muy animador.

—Yo no le diría nada —sugirió Jorge.

—Yo tampoco —se le sumó Ramón—. El señor Meléndez es malo. Te apuesto a que te va a cobrar diez dólares por aquel pájaro si llegas a decirle que tú lo rompiste.

—Y puedes estar bien contenta que es domingo y nadie estaba allí —agregó Jorge.

—No se preocupen —dijo Georgina—. Yo volveré mañana por la mañana bien temprano y ofreceré pagarlo. Yo lo rompí, y debo pagarlo. Yo sé que no tengo suficiente dinero en mis ahorros, pero tal vez él me permita hacer algún trabajo para ganar el resto y pagárselo.

Y al mencionar sus ahorros, el corazón de Georgina se oprimió. Ella había estado ahorrando por mucho tiempo y sólo había logrado tener tres dólares y veinticinco centavos. ¿Y qué pasaría si el señor Meléndez le cobraba diez dólares por aquel pájaro, como Ramón había dicho? ¡Sería terrible!

Cuando llegaron a la casa, Georgina le contó a la mamá lo que le había sucedido. Jorge y Ramón añadieron sus comentarios.

La mamá parecía pensativa.

—Georgina dice que ella va a volver para decirle al señor Meléndez lo que pasó, y que va a pagarle el pájaro con sus ahorros —dijo Jorge—. ¿No es una tonta?

—No —repuso la madre—, ella no es una tonta. Yo creo que tiene razón. Siempre debemos ofrecernos a pagar por el daño que causamos, incluso cuando lo hacemos sin querer.

Luego, volviéndose hacia Georgina, la alentó:

—Sí, querida, haz lo posible por ver al señor Meléndez. Dile cómo sucedió y que tú estás dispuesta a pagar por el pájaro roto. Yo creo que él lo va a apreciar. Nunca perdemos nada por ser honestos.

La mamá tenía razón. A la mañana siguiente, Georgina fue a la florería, y media hora más tarde volvía con un hermoso ramo de flores en sus manos, y con la cara radiante de alegría.

—¡Oh, mamá, fue maravilloso! —exclamó—. Primeramente él pareció muy serio y dijo que tendría que cobrarme un montón de dinero. Luego noté una guiñada en sus ojos, y agregó que, pensándolo mejor, me iba a cobrar veinticinco centavos. Así que yo se los di. Y entonces, ¿qué crees que pasó? Me dio este precioso ramo de flores. Y cuando me estaba yendo me dijo que ¡yo era la niña más honesta que jamás había conocido! ¿Verdad que fue muy bueno?

—Seguramente que sí, querida —dijo la madre, con lágrimas en los ojos.

Y yo concuerdo con ella. ¡Esa es la pura verdad!

HISTORIA **30**

Muy Cerca del Hogar

GERARDO había nacido en una granja de uno de los Estados centrales de Estados Unidos de Norteamérica. Cuando era niño había aprendido a andar a caballo y recorrido muchas veces las vastas planicies que rodeaban su casa.

Le gustaba todo lo que pertenecía a ese lugar: los caballos, las vacas, los perros, las gallinas. Le encantaba vagar por la antigua hacienda y también le gustaba el cuarto que él consideraba sólo suyo. Pero más que nada amaba a su papá y a su mamá. Muy gustosamente los ayudaba, tanto en la casa como en el campo.

A medida que crecía, esperaba que nunca tuviera que salir de ese lugar. Pero llegó el día en que fue llamado a hacer el servicio militar y luego se lo envió a pelear en una tierra extraña.

Pero si físicamente estaba más allá de los mares, sentía que su corazón había quedado en su casa. ¡Cómo anhelaba que terminara esa espantosa guerra para poder volver a su tierra natal y ver a su papá y a su mamá otra vez! A menudo, cuando le tocaba hacer guardia, miraba las estrellas, y soñaba con aquellos tiempos felices.

Finalmente, llegó el día cuando le dijeron que podía regresar. Después de un largo, muy largo viaje, llegó a un

pueblo donde iba a tomar un ómnibus que pasaba cerca de su casa. Pero ocurrió que, cuando llegó a la estación, se encontró con que el último ómnibus ya había partido.

¡Pobre Gerardo! ¿Qué podía hacer ahora?

Todos los comercios estaban cerrados. Para empeorar las cosas, comenzó a llover a torrentes.

De repente, vio que en el patio de una casa había un automóvil con un cartel que decía "En Venta". Era viejo: tenía el parabrisas roto y le faltaba uno de los guardafangos. Pero él pensó que si despertaba al hombre, podría comprarle el auto e irse a su casa en él.

Así que llamó a la puerta hasta que alguien vino. Compró el viejo automóvil con el último dinero que tenía en el bolsillo y se dirigió hacia la casa en medio de la noche.

¿Qué le importaba que estuviera lloviendo fuerte? ¿Qué le importaba estar mojado hasta los huesos? ¡Estaba yendo a su casa, a su querido hogar! Cada vuelta que daban las ruedas, cada bache del camino, parecían decir: "¡Vas a casa, vas a casa!"

Cuando llegó y vio a sus seres queridos otra vez, su gozo era demasiado grande para expresarlo en palabras.

También nosotros, los cristianos, estamos en camino hacia

"nuestra casa", vale decir nuestro hogar celestial. Todos los niños y las niñas que aman a Dios se están dirigiendo hacia allá. Es un hogar lleno de belleza, luz y felicidad. Tiene "muchas mansiones", como dijo Jesús; suficientes como para que todos los que quieran, puedan tener la suya. Y allí no habrá dolor, ni enfermedad, ni muerte, ni lágrimas, y todos los conflictos de este mundo serán olvidados.

No permitamos que nada nos desvíe de nuestro camino hacia allá: ningún problema, privación o sufrimiento. A través de la tormenta y de la oscuridad, de la lluvia y del granizo, debemos seguir hacia el hogar celestial.

Ese glorioso hogar no está muy lejano. Y todo lo que está sucediendo en este mundo hoy, todo lo que hacemos para contarle a la gente acerca de Jesús y su amor, está como gritando: "¡Vamos al hogar, al hogar, al hogar!"

¡Y qué bienvenida nos dará Jesús!

HISTORIA **31**

Los Nueve Desagradecidos

EN CIERTA ocasión, cuando Jesús se dirigía hacia una población de Galilea, diez leprosos lo llamaron, pidiéndole que los sanara de su terrible enfermedad.

—"¡Jesús, Maestro, ten misericordia de nosotros!" —gritaron (S. Lucas 17: 13).

Jesús les contestó:

—"Id, mostraos a los sacerdotes" —lo que significaba que ellos tenían que pedirle permiso al sacerdote para volver a vivir ente la gente normal.

Obedientes, pero preguntándose qué habría querido decir el gran Médico, los diez se pusieron en camino para ir a ver al sacerdote.

De pronto, uno de ellos dijo:

—Yo me siento mucho mejor.

—Y yo también —se le unieron los otros uno a uno.

Entonces se miraron las manos, y, ¡oh sorpresa!, las lasti-

maduras y las cicatrices habían desaparecido. ¡Estaban sanos!

Uno de ellos, un samaritano, estaba tan contento por lo que le había pasado, que volvió corriendo hacia donde estaba Jesús y, arrodillándose, le agradeció de todo corazón por lo que había hecho por él.

¿Y qué pasó con los otros nueve? Eso es lo mismo que preguntó Jesús. Ellos habían continuado su camino, muy contentos sin duda porque habían sido sanados, pero olvidándose completamente de Aquel que les había devuelto la salud. Ni siquiera le dieron las gracias.

Jesús estaba muy chasqueado. Dándose vuelta y mirando a sus discípulos, preguntó: "¿No son diez los que fueron limpios? y los nueve, ¿dónde están?" (verso 17).

Algunos niños y niñas que han recibido algún favor son como el samaritano que volvió y dijo: "Gracias". Pero muchos de ellos, me temo, son como los nueve que no volvieron. Ojalá que nunca chasqueemos a nuestro querido Señor Jesús mostrándonos desagradecidos, siendo tantas y tantas las cosas que él nos da tan amorosamente. Por otra parte, estoy seguro de que la mamá de ustedes estaría muy contenta de oír un "Gracias" por todo lo que ella hace por ustedes diariamente.

HISTORIA **32**

Los Leopardos de Lorenzo

ESTA historia me la contó la madre de un niño de seis años de edad. Lo único que hice fue cambiar su nombre, para evitar que sus compañeros de clase se burlaran por la oración que él hizo, en caso de que hubieran oído de ella.

El pequeño Lorenzo había estado esperando ansiosamente el comienzo de las clases. La mamá le había comprado ropa nueva, por lo cual él se sentía muy contento. Pero el mismo día del comienzo de las clases, Lorenzo enfermó, y tanto que la mamá tuvo que llamar al doctor.

El doctor vino y examinó a Lorenzo. Luego, sacudiendo la cabeza, dijo que Lorenzo debía permanecer en cama.

¡Pobre Lorenzo! ¡Qué chasco! ¡Todos los otros niños irían a la escuela, y en cambio él tendría que quedarse en cama!

Cada mañana, al despertar, esperaba sentirse mejor, pero, por el contrario, se sentía muy débil.

La mamá dedicó todo su tiempo a cuidar a Lorenzo. Todo el día lo observaba con tristeza en su corazón, y pasaba las noches enteras a su lado, recostada en un catre.

A veces, cuando Lorenzo parecía estar un poco más aliviado, ella le leía algún relato de *Cuéntame una historia,* y también de *Las bellas historias de la Biblia,* lo cual le gustaba

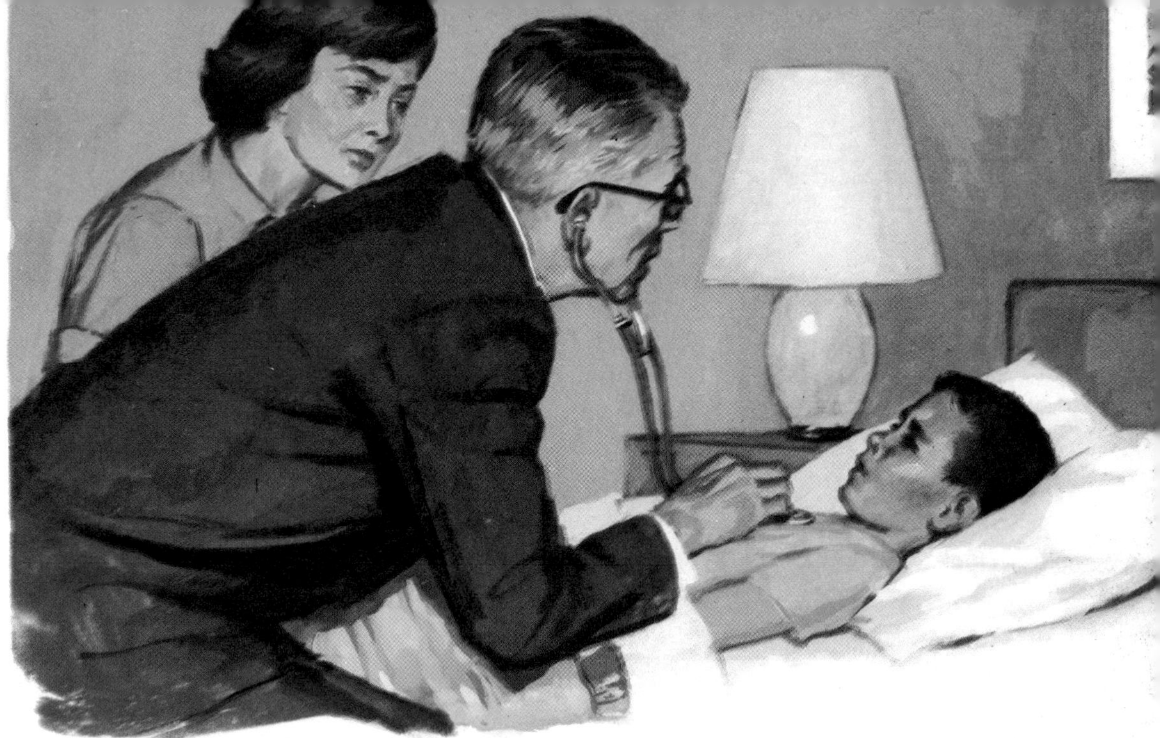

mucho a él. A menudo él se quedaba dormido en medio de la historia, pero cuando se despertaba decía: "Tú no terminaste la historia, mamá". Y la mamá reasumía la lectura.

La historia que más le gustaba a Lorenzo era la de los diez leprosos a quien Jesús había sanado, de los cuales uno solo había vuelto para agradecerle. Yo no sé qué pasaba por la mente de Lorenzo cuando oía esta historia, pero a él le gustaba mucho y, a medida que se debilitaba, él le pedía a la mamá que se la volviera a leer vez tras vez.

A todo esto, la mamá estaba muy preocupada. Ni se animaba a mirar la cara del médico cuando él examinaba a Lorenzo. Gradualmente ella se iba convenciendo de que su precioso muchacho no viviría mucho más. Entonces le envió un telegrama al papá de Lorenzo, quien se hallaba lejos en un viaje largo, para que volviera a casa inmediatamente.

Una noche, exhausta por las muchas noches sin dormir y por su ansiedad en cuanto a la salud de su hijo, al mirar a Lorenzo las lágrimas rodaron por sus mejillas. En eso, él abrió los ojos y le preguntó a su madre:

—¿Por qué lloras, mamá?

—Porque tú estás muy enfermo —respondió ella—, y yo

no quiero verte enfermo.

—Entonces, ¿por qué no le pides a Jesús que me mejore, como él lo hizo con los leopardos?

—¿Los leopardos? —preguntó la mamá—. ¿Qué leopardos?

—Los leopardos de la historia, mamá —dijo Lorenzo—. Tú sabes. Eran diez, y uno de ellos volvió y le dijo: "Gracias, Jesús". ¿Recuerdas?

—Naturalmente que recuerdo, querido —dijo la madre, sonriendo—. Los diez leprosos y los "nueve desagradecidos". Y yo debí haberme acordado hace tiempo de pedir la ayuda de Jesús. Supongo que no lo hice porque estaba demasiado ocupada y cansada.

—¿Y ahora es muy tarde para pedirle que me sane? —susurró Lorenzo.

—¡Oh, querido, no! —exclamó la madre—. Nunca es demasiado tarde. Le pediremos inmediatamente, tú y yo juntos.

Y poniendo las manos de Lorenzo junto con las suyas, comenzó a orar; pero Lorenzo la interrumpió.

—Por favor, Jesús —dijo muy débilmente—, ayúdame a sanarme como lo hiciste con los leopardos, y yo te estaré agradecido. Te lo prometo.

Luego la madre continuó con su oración.

Cuando Lorenzo abrió los ojos y miró el rostro de su mamá, dijo:

—Me estoy sintiendo mejor, mamá.

La madre apenas podía creer lo que oía, pero notó el cambio en Lorenzo. Podía verse a ojos vistas.

Cuando vino el médico esa tarde, se pudo advertir una expresión de sorpresa en su rostro.

—Algo ha sucedido —dijo—. Creo que va a mejorar.

Al siguiente día, por primera vez en semanas, Lorenzo pudo sentarse. Dos días más tarde, cuando el papá llegó, esperando por poco asistir al funeral del hijo, éste pudo ir a recibirlo caminando.

Nadie pudo entender el milagro que se había producido en Lorenzo. Ni su papá, ni el doctor, ni los vecinos. Nadie, esto es, con excepción de la mamá, Lorenzo... y Jesús.

Naturalmente, que Jesús sabía más que todos. ¿Y qué inconveniente había para Jesús si Lorenzo decía leprosos o leopardos? Aquí había un niñito lleno de fe y de amor, y Jesús contestó su sencilla oración.

HISTORIA **33**

Cómo Edgar Pudo Volver de la Escuela

ESTA historia me llegó desde el sur de Escocia, y yo sé que a ustedes les gustará tanto como me gustó a mí cuando leí por primera vez la carta de Edgar.

Una tarde, cuando Edgar tenía aproximadamente diez años de edad, fue a jugar a un campito cercano con su amigo Jonatán. Después de jugar un rato entraron al lugar, donde se cambiaron de ropa.

Jonatán era muy lento para vestirse, pero Edgar era aún más lento que Jonatán.

—Apresúrate —lo urgió Jonatán mientras salía—, o vas a perder el ómnibus.

Edgar comenzó a apresurarse, pero no lo suficiente. Pronto era el único muchacho que quedaba en la escuela.

Ahora no podía encontrar su chaqueta. Miró por todas partes, pero en vano. En la percha solamente estaba colgada la chaqueta de Jonatán. De repente se le ocurrió a Edgar que Jonatán se había puesto su chaqueta por error, y que lo único que le quedaba era usar la chaqueta del amigo.

Y esto es lo que hizo, pero el boleto del ómnibus estaba en el bolsillo de su propia chaqueta, ¡y Jonatán la tenía puesta!

Ahora sí que Edgar se apresuró, corriendo tan rápido como pudo hasta la parada del ómnibus. Pero ¿qué vio sino el

ómnibus que se alejaba con Jonatán a bordo?

¿Qué haría? El no lo sabía. Ansiosamente palpó en todos los bolsillos, en los de sus pantalones y en los de la chaqueta de Jonatán. Pero lo único que encontró fue medio pasaje de regreso de un ómnibus que iba a un pueblo cercano, y tres centavos.

Entonces decidió tomar el ómnibus que se dirigía a ese pueblo y pensó que de allí podría tomar otro que llegaba cerca de la casa. Era una vuelta muy larga, pero parecía que no había otro remedio. Así que cuando llegó el ómnibus, lo tomó.

Pero al llegar al pueblo se dio cuenta de que no tenía suficiente dinero para pagar el boleto del ómnibus que lo llevaba a su casa.

Entonces pensó que podría llamar por teléfono a su papá, pero necesitaba otro centavo para poder hacer la llamada. ¿Dónde podría encontrar un centavo?

Buscó por todas partes, caminando hacia arriba y hacia abajo, tratando de ver si por casualidad podía encontrar un centavo perdido. Pero no encontró ninguno. El podía haberle pedido a un policía, pero no lo hizo. Tenía miedo de que el policía no entendiera por qué necesitaba tanto un centavo.

En ese momento llegó el ómnibus que pasaba cerca de su casa. Lo hizo parar y preguntó cuánto costaba el pasaje hasta su casa, ¡pero era mucho más que sus tres centavos! Así que tuvo que conformarse viendo cómo se alejaba el ómnibus.

Ahora sí que no sabía qué hacer. ¡A casi veinte kilómetros de la casa, sin medios para llegar a ella! Y, por añadidura, estaba anocheciendo.

En su carta él dice: "Entonces me acordé de los relatos de *Cuéntame una historia* y de cómo más de un niño y niña había pedido a Jesús que lo ayudara, y yo me pregunté si él podría ayudarme también. Así que cerré los ojos y dije: 'Por favor, Jesús, envía alguna clase de ayuda para que pueda volver a mi casa' ".

Y ustedes nunca adivinarían qué sucedió después.

Cuando abrió los ojos y se dirigió lentamente, sin ninguna razón, hacia la parada de ómnibus más cercana, vio a varios que estaban esperando en línea el próximo ómnibus.

De repente alguien lo llamó:

—¡Hola, Edgar! ¿Qué estás haciendo aquí?

¡Era su vecina! ¡Afortunadamente, alguien lo conocía!

—¡Cuánto me alegro de verla! —exclamó Edgar—, y le explicó su problema.

Naturalmente, la amable vecina pagó con gusto el pasaje de Edgar, y éste, cansado pero alegre, llegó a su casa alrededor de las diez de la noche.

Han pasado varios años desde entonces, pero Edgar todavía recuerda con gratitud la ayuda que, en respuesta a su oración, Dios le envió en un momento de necesidad.

HISTORIA **34**

Susanita, la que Desapareció

SUSANITA, debo explicarte, no era ni una niña, ni una muñeca, sino un *hamster*, un roedor de abultadas mejillas, de la familia de las ratas. Su feliz dueña era una niña llamada Ana María.

Pues a mí, debo confesarlo, no me gustan las ratas, aun cuando tengan dos mejillas bien rellenas, ya se trate de ratas blancas o pardas. Pero siendo que "sobre gustos no hay nada escrito", como dice el antiguo refrán, algunos niños piensan que estos animales son decididamente preciosos.

Lo que es Ana María, que tenía ocho años de edad, amaba a su Susanita más que a su más linda muñeca y, a veces, uno pensaría que la amaba más que a su mamá, a su papá, a su hermanito menor y al resto de la familia juntos.

Susanita era el orgullo de su vida, la alegría de su corazón, la niña de sus ojos. Y ella hablaba más de las cosas divertidas que hacía Susanita que de cualquier otra cosa.

Una de sus amigas de la escuela decía que ella estaba "loca por su rata". Pero eso no disgustaba a Ana María. Cuanto más bromas le hacían acerca de su animalito, más parecía quererlo.

Una vez Ana María quiso poner la jaula de Susanita en la sala, pero la mamá le dijo que no; así que ella tuvo que conformarse con tener a Susanita en una habitación en la parte de atrás de la casa, donde no había muebles ni nada.

Y fue allí donde Susanita desapareció.

Un día, al sacar Ana María a Susanita fuera de la jaula para acariciarla, ésta de repente se escondió debajo de su vestido y luego, corriendo rápidamente, cruzó la habitación y se metió en un agujero entre las tablas del piso.

Yo no sé cómo Susanita pudo saber que había un agujero en estas tablas. Tampoco lo sabe Ana María ni nadie, pero el hecho es que Susanita se fue directamente hacia ese agujero, en menos tiempo del que me lleva decirles que había desaparecido de la vista.

—¡Vuelve! ¡Vuelve! —gritó Ana María, pero mejor hubiera sido que se ahorrara el esfuerzo. Susanita parecía no oír nada.

Entonces la niña se sintió deshecha. Era como si todas las luces se hubieran apagado en su pequeño mundo.

—¡Papá! ¡Mamá! —lloró—. ¡Susanita se ha ido!

El papá vino casi corriendo.

—¿Qué pasa? —preguntó.

—Susanita ha desaparecido —gimió Ana María—. Yo la había sacado de su jaula para acariciarla, y ella se escapó y se metió por el agujero del piso.

—¿Y dónde piensas que pudo haber ido? —preguntó el papá—. Es la cosa más natural del mundo que las ratas y los ratones se metan en los agujeros. Eso es lo que ellos hacen cuando las niñitas no los ponen en su jaula.

—Pero yo quiero que Susanita vuelva —sollozó Ana María.

—Yo no me preocuparía demasiado —dijo el papá—. Probablemente ella se está divirtiendo de lo lindo, corriendo de aquí para allá en la oscuridad. Tal vez esté en el sótano buscando algún lugar por donde salir.

—¡Entonces nunca volverá! —exclamó Ana María—. ¡Oh, pobre Susanita!

—Podrías poner algo de comida en la jaula y dejarla abierta, al lado del agujero por donde Susanita se escapó. Si ella no puede encontrar comida en ninguna otra parte, posiblemente vuelva aquí.

—¿Y no ayudaría si yo dijera una oración para que Dios la haga volver? —preguntó Ana María.

—Podría, por supuesto —dijo el padre—. Uno nunca sabe...

—Bueno, lo voy a hacer —resolvió Ana María—. Yo quiero mucho a Susanita, y quiero que vuelva.

Y entonces Ana María hizo una oración muy sincera, aquella noche y varias veces durante el próximo día. Además, hizo lo que el papá le había sugerido: colocó comida en la jaula de Susanita, y la dejó abierta, junto al agujero del piso. A cada rato iba despacito al cuarto, esperando ver al animalito. Pero éste no volvió.

Tal vez ustedes piensen que ella no debía haber orado por una cosa tan insignificante. ¿Pero, por qué no? Lo importante no es la clase de cosa por la que oramos, o su tamaño o forma, sino el amor que tenemos al objeto por el cual oramos; eso es lo que vale.

Más que ninguna otra cosa, Dios ama a los niños y a las niñas. A él le gusta oír que ellos le hablen. A él le gusta darles una grata sorpresa cuando ellos le piden alguna ayuda. Jesús dijo: "Dejad a los niños venir a mí, y no se lo impidáis; porque

de los tales es el reino de Dios" (S. Marcos 10: 14).

Lo que luego sucedió quizá se debió a que Dios, al ver el amor tan puro del corazón de Ana María, se complació en oír su ruego por ayuda. El caso es que un día Susanita estuvo de regreso. No me pregunten cómo fue. No lo sé. Pero una mañana, cuando Ana María fue al cuarto de atrás, vio a Susanita en su jaula, como si nunca hubiera estado fuera de ella.

"Yo estaba tan contenta, que lloré —confiesa Ana María en su carta—, y le agradecí a Dios con todo mi corazón. Y lo recordaré hasta el día que me muera".

Y estoy seguro de que así será. Y al tener ella sus propios hijos, y ellos sus propios animalitos — ratitas blancas y perros y gatos y conejos y otras cosas—, ella les enseñará a sus niños y a sus niñas a contarle todos los problemas a Dios, y todos en el cielo y en la tierra estarán muy contentos.

HISTORIA **35**

Esteban y el Buque de Vapor

ESTEBAN vivía cerca de un río muy ancho, por donde navegaban buques de vapor. Esto sucedió hace muchos años.

Un día él se dirigió hacia la orilla del río, donde había un muelle pequeño y destartalado. Mientras caminaba hacia el extremo del muelle, sacó un pañuelo de su bolsillo y comenzó a agitarlo.

—¿En qué estás pensando al agitar tu pañuelo? —le preguntó un hombre que estaba pescando en el muelle.

—En nada —contestó Esteban—. Pero el buque de vapor va a llegar en pocos minutos, y yo me estoy preparando.

—El buque de vapor no para aquí —le previno el hombre—. Si tú quieres verlo, debes ir al próximo muelle, que queda a más de tres kilómetros de aquí.

—Pero hoy va a parar aquí —replicó Esteban.

—No —dijo el hombre—. Nunca para aquí. Tú estás muy equivocado.

—Yo no estoy equivocado —fue la respuesta confiada de Esteban—. Va a parar aquí.

—No —insistió el hombre otra vez—. Tú eres un niño muy tonto. ¿Por qué no le preguntamos a alguien que sabe?

En ese preciso instante divisaron una columna de humo que se elevaba.

—¡Allí viene! —exclamó Esteban.

—Es mejor que empieces a correr —dijo el hombre, o no vas a llegar al próximo muelle a tiempo.

—Es que yo no necesito correr —le contestó Esteban—, porque va a parar aquí.

—No —ya el hombre estaba enfadado—. Tú no sabes lo que dices.

Ahora el enorme barco antiguo estaba a la vista y venía hacia ellos a toda velocidad, agitando el agua con sus grandes paletas.

Esteban volvió a agitar el pañuelo frenéticamente.

—¿No ves que no para aquí? —le dijo el hombre—. Está yendo demasiado rápido.

—Pero va a parar aquí —volvió a afirmar Esteban, agitando con más vehemencia aún su pañuelo.

De repente el buque comenzó a desacelerar. Las paletas ya no se movían tan rápidamente. Poco después se detuvieron y comenzaron a girar hacia atrás mientras el buque se acercaba con lentitud al antiguo muelle.

Muy suavemente se detuvo, y los tripulantes colocaron una pasarela.

Esteban caminó por ella, colocando su pañuelo en el bolsi-

llo. Entonces, dándose vuelta, miró al hombre que estaba en el muelle y le dijo:

—¿Ve cómo paró aquí?

—Yo no me explico por qué —concedió el hombre, algo confundido.

—Yo sí —exclamó alegremente Esteban. ¡Es que el capitán es mi papá!

Qué dulce y amoroso pensamiento, especialmente cuando pensamos en Dios y en su cuidado hacia todos nosotros.

Algunos piensan que él es demasiado grande e importante para preocuparse por los niños y las niñas, y que está demasiado ocupado para oír sus oraciones.

Pero esto no es verdad. El se interesa en todos. El se ocupa de todos. Es nuestro amoroso padre y sabe todo lo que nos sucede.

La Biblia dice: "Como el padre se compadece de los hijos, se compadece Jehová [Dios] de los que le temen" (Salmo 103: 13).

No importa quién seas tú, o cuán pequeño o pequeña seas, o dónde vivas, si tú le dices a Dios que lo necesitas —de la misma manera que Esteban agitó su pañuelo saludando a su papá—, él te ayudará a ti también.

HISTORIA **36**

¿Cómo nos Habla Dios?

ROSITA y Teodoro García estaban jugando con su nuevo amigo, Pablito, en el patio de atrás. De repente oyeron el tañido de una campana.

—¿Qué es eso? —preguntó Pablito, que vivía del otro lado del pueblo.

—Oh, es la campana para el culto —dijo Rosita.

—¿Qué? —preguntó Pablito.

—La campana del culto —repitió Rosita—. Mamá la toca todas las tardes más o menos a esta hora. Entonces nosotros nos reunimos y tenemos un culto de familia.

—¿Quieres decir que tú tienes que dejar de jugar sólo por eso?

—Claro que sí —comentó Rosita con una sonrisa—. Y a nosotros nos gusta. Primero cantamos juntos, y luego mamá —o papá, si él está en casa— lee una historia de la Biblia. Después le hacemos preguntas en cuanto a la historia, y entonces uno de nosotros dice alguna oración. Estoy segura de que a ti te gustaría. ¿Por qué no vienes con nosotros esta noche?

—A mí me parece bastante aburrido —comentó Pablito—, pero voy a ir una vez para ver cómo es.

Y mientras se dirigían a la casa, podían oír el piano que

De pronto Esteban se dio vuelta y dijo: "¡Yo sabía porque el capitán es mi papá!"

tocaba la señora García. Ella dejó de tocar tan pronto como se dio cuenta de que los niños venían acompañados de Pablito, y fue a saludar a éste, invitándolo a pasar. Entonces cantaron juntos por algunos minutos.

Para la lectura bíblica la mamá seleccionó una historia que hablaba acerca de Samuel, el niñito que vivía en el templo con Elí, el sumo sacerdote. La madre de Samuel quería que él sirviera en el templo, esperando que algún día su hijo se convertiría en un gran hombre al servicio del Señor. Así que ella le hizo una pequeña túnica, como la que usaban los sacerdotes. Y al muchachito le gustaba mucho estar con Elí y ayudarle en las tareas pequeñas que había que hacer en el templo.

Una noche, como ustedes lo recuerdan, él oyó una voz que lo llamaba, diciéndole: "¡Samuel, Samuel!" El pensó que era Elí quien lo llamaba. Pero Elí no había dicho una palabra. Como esto sucedió dos veces, Elí le indicó lo que debía decir si oía la voz otra vez.

Más tarde esa misma noche Samuel oyó la voz por tercera vez, y entonces respondió: "Habla, porque tu siervo oye" (1 Samuel 3: 10). Seguidamente Dios habló con él durante un rato.

Cuando la señora García cerró la Biblia, ofreció:

—Ahora es el momento de las preguntas. ¿Quién quiere ser el primero?

—Yo —se ofreció Pablito, levantando la mano como si estuviera en la escuela.

—Está bien —dijo la señora—. ¿Qué quieres preguntar?

—Si Dios le habló a ese muchacho Samuel —quiso saber Pablito—, ¿por qué no me habla a mí?

—Tal vez él lo hace —dijo la señora.

—Pero yo nunca lo he oído —repuso Pablito.

—¿Estás seguro? —preguntó ella—. Podría ser que tú no estuvieras escuchando.

—¿Y Dios siempre nos habla en voz alta? —preguntó Teodoro a su vez.

—Oh, no —dijo la mamá—. La mayoría de las veces,

A todos les gusta oír la historia acerca del llamado de Dios al niño Samuel en el templo y de cómo éste llegó a ser un gran profeta.

 pienso yo, él nos habla muy suavemente, como en un susurro.

—Yo creo que Dios me habló el otro día —aventuró Rosita.

—Cuéntame —animó la madre.

—Bueno, yo iba a quedarme a jugar después de la escuela con mis amigas, cuando una voz parecía que me decía: "Vete a casa; tu mamá te necesita". Así que yo corrí a casa y me encontré con que tú tenías ese tremendo dolor de cabeza.

—Lo recuerdo, querida, y estuve tan contenta de verte. Yo había estado orando para que tú vinieras pronto y así pudieras ir a la farmacia a buscar algo para mí.

—¿Y usted piensa que Dios puede hablarme alguna vez? —preguntó Pablito.

—Estoy segura de que sí —afirmó la mamá—. Y ahora permítanme contarles algo que me sucedió la semana pasada. Estaba haciendo las cosas de la casa, cuando, de pronto, sentí que debía ir al hospital a visitar a una amiga enferma. Así que dejé mi trabajo en medio de la mañana y fui a verla.

"Cuando me vio, ella me dijo: 'He estado orando toda la noche para que tú vinieras esta mañana'. ¿No es esto maravilloso? Yo estoy segura de que fue Dios quien me impulsó a ir a visitarla".

—¿Así que Dios puede hablarme a mí también? —preguntó Pablito.

—Claro que sí —dijo la señora—. Pero recuerda, él habla de muchas maneras, y en cualquier lugar; así que tú tienes que estar listo para oírlo. Y, de paso, ¿no tienes una nueva hermanita?

—Sí —respondió Pablito.

—Entonces tu mamá debe estar muy ocupada. Probablemente ella no pueda dormir mucho y esté cansada. Puede ser, Pablito, que Dios esté tratando de decirte algún mensaje como: "Por favor, ayuda a tu mamá con la loza", o "No te olvides de barrer el piso de la cocina", o "Toma por un rato al bebé en tus brazos".

—¿Y usted cree que Dios dice cosas como ésas? —preguntó Pablito.

—Estoy segura de que sí —fue la confiada respuesta de la

señora—. Pero, naturalmente, si tú estás demasiado ocupado tratando sólo de divertirte, es posible que no oigas su voz.

Pablito se sonrió. Había entendido.

—Ahora tengamos nuestra oración de la noche —sugirió la señora García. Al ver que todos se arrodillaban, Pablito también lo hizo. Entonces ella pidió a Dios que cada uno pudiera estar tan cerca de él cada día, que no pudiera dejar de oír su voz.

Cuando se levantaron, Pablito se despidió de la señora y se fue a la casa. Tenía un brillo especial en sus ojos y una nueva expresión en su rostro. Había oído la voz de Dios.

HISTORIA **37**

El Paseo Prohibido

ROBERTO era un muchacho tan bueno, que su papá le regaló una bicicleta cuando cumplió los seis años. Y él estaba tan contento, que andaba en ella todo el día.

Sin embargo, cosa extraña, parecía que después de haberla recibido, él ya no se portaba tan bien. La mamá comenzó a tener problemas con Roberto porque él siempre decía que tenía que andar en bicicleta cuando ella quería que la ayudara. Y, además, él comenzó a lucirse delante de sus amigos andando en bicicleta descalzo y sin sostener el manubrio con las manos.

La mamá se preguntaba si había sido una buena idea el haberle regalado una bicicleta. Tal vez el papá se había apresurado un poco. Pero ahora era demasiado tarde para quitársela, especialmente porque Roberto comenzó a ir en bicicleta a la escuela. Tal vez si ella hablaba con él, se resolvería la situación.

—Roberto —un día ella se dirigió al muchacho cuando él acababa de llegar de la escuela—, quiero que hablemos acerca de ti y de tu bicicleta.

—¿Qué quieres? —preguntó el muchacho, intrigado.

—Bueno —dijo la mamá—, me alegro de que estés contento con tu bicicleta, pero yo quisiera que tú no te pavonearas tanto con ella. El andar en bicicleta sin tomar el manubrio puede parecer muy hábil, pero es muy peligroso.

—¡Oh! —exclamó Roberto—, eso no tiene importancia. Todos los chicos lo hacen, y a nadie le ha pasado nada.

—Tal vez no todavía —le advirtió la mamá—, pero a alguno puede pasarle algo. Y además esa tontería de querer andar descalzo...

—¿Y qué problema hay con eso? —preguntó Roberto, como si tuviera doble edad de la que tenía.

—Justamente esto —dijo la madre—: que algún día se te puede meter el pie entre los rayos o en la cadena, y eso te puede lastimar bastante y causarte mucho dolor.

—¡Ja, ja, ja! —se rió Roberto—. Como si yo fuera a hacer algo tan tonto.

—Sin embargo, muchachos más grandes que tú lo han hecho —indicó la mamá.

—Pero yo nunca haría algo tan estúpido —replicó Roberto.

—Espero que no —dijo la mamá—. Pero quiero que sepas que yo te prohíbo andar en bicicleta descalzo. Y además, aparte de ir a la escuela, no quiero que vayas a ningún lugar sin decírmelo primero. ¿Entiendes?

—¿Quieres decir que te tengo que pedir permiso cada vez que quiera andar en bicicleta? —preguntó Roberto con mal disimulado disgusto.

—Todas las veces que salgas de casa —aclaró la madre—. Entonces yo sabré dónde estás y si tienes los zapatos puestos.

—¡Uf! —se quejó Roberto—, ¡qué vida!

—Lo hago por tu bien,

querido, como te darás cuenta algún día. Y cuando seas un poco más grande, las cosas serán diferentes.

Roberto, frunciendo el entrecejo, se puso a andar en bicicleta, teniendo mucho cuidado de hacerlo solamente alrededor de la casa.

Pero de pronto empezó a pensar: "Yo no sé por qué no puedo ir descalzo. Otros muchachos lo hacen. Y si mamá tuviera mi edad, ella también andaría descalza. Si quiero andar en bicicleta, no tengo por qué decírselo. Eso es demasiado. No hay razón para hacerlo".

Es peligroso tener esta clase de pensamientos, porque siempre nos meten en algún problema. El caso es que, a la media hora, Roberto estaba andando en bicicleta fuera de la casa, y descalzo.

Pero muy pronto estuvo de regreso —me lo contó su propia madre—, llorando él a más no dar y dejando un sendero de sangre mientras se acercaba cojeando.

—¿Qué pasó? —preguntó ella mientras corría hacia él y le ayudaba a caminar—. ¿Qué has hecho? Yo pensé que estabas jugando solo en el patio.

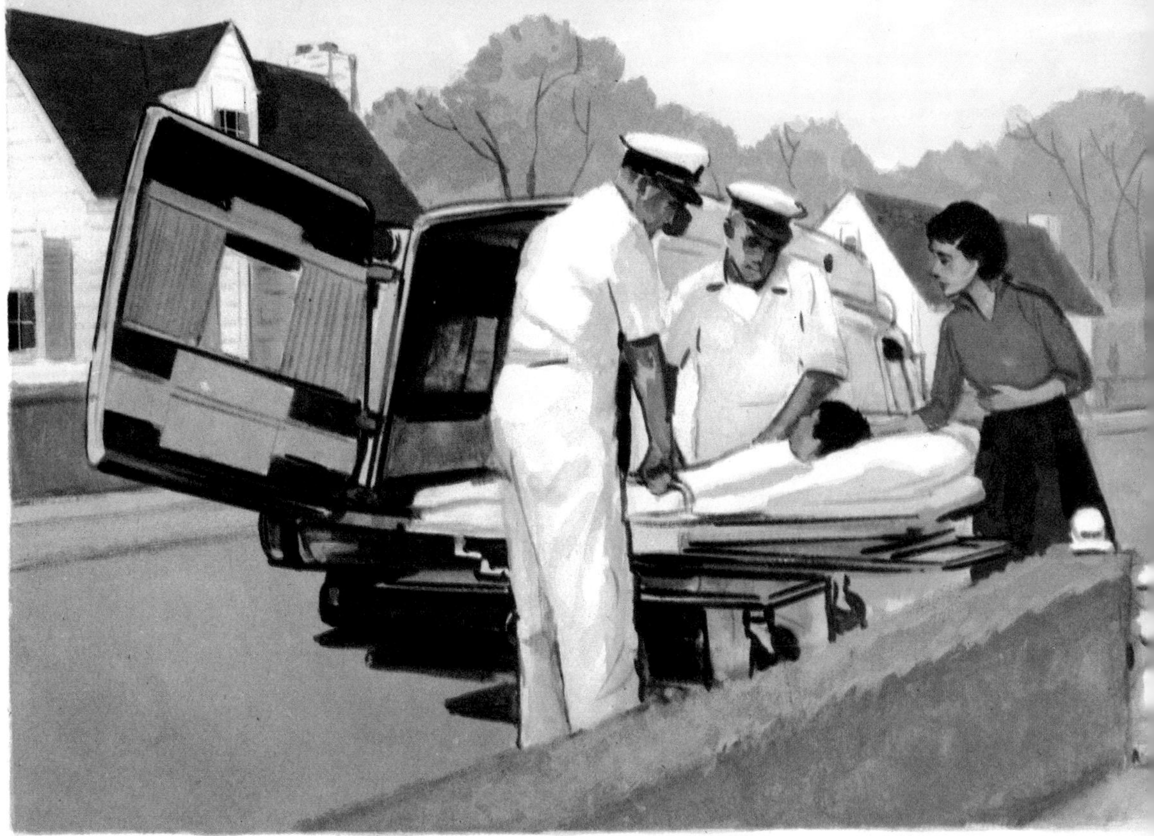

Y entre lágrimas y sollozos por el dolor que sentía, Roberto le contó lo que le había pasado.

El se había escapado para andar en bicicleta, esperando que la madre no lo descubriera, y comenzó a andar apoyando solamente una mano en el manubrio. En eso dio la bicicleta en un bache del camino, y el pie de Roberto se resbaló del pedal y se metió entre la cadena y el engranaje grande.

—¡Ay! —gritó cuando la madre trató de limpiarle la herida—. ¿Estoy muy lastimado? —preguntó.

—Sí —dijo la madre—. Es mejor que te llevemos al hospital en seguida porque puedes perder el dedo gordo.

Roberto sollozaba mientras una vecina telefoneaba pidiendo una ambulancia.

—Oh, ¿por qué lo habré hecho? —gemía Roberto.

—Eso mismo habrá dicho Adán cuando tuvo que abandonar el jardín del Edén —dijo la madre—. Generalmente hay que pagar un precio muy alto por desobedecer.

El precio, esta vez, fue parte del dedo gordo del pie.

HISTORIA **38**

Debajo del Muelle

TODA la semana Carlitos le había estado rogando a la mamá que lo llevara a la playa.

—Sólo por un día, mamá —decía.

—Lo siento —la mamá había replicado vez tras vez—, no puedo ir esta semana. Tengo demasiado que hacer. Pero te llevaré la semana próxima. El domingo, te lo prometo.

—¿Me lo prometes? —preguntó Carlitos.

—Sí, te lo prometo —dijo la madre.

Así que Carlitos esperó otra semana. Pero ahora, con la promesa de la mamá, estaba listo para ir. Tenía a mano el balde y la pala, el pequeño bote de vela, la pelota de playa, el traje de baño, las sandalias, ¡cuántas cosas!

Había puesto todo en una pila, a la que había estado agregando más y más cosas a medida que recordaba lo que quería llevar.

Finalmente llegó el domingo.

Carlitos se levantó temprano esa mañana, y corrió hacia la ventana para mirar afuera.

Al ver que estaba lloviendo casi desfallece.

—¿Y qué vamos a hacer? —fue la pregunta que hizo, con el ceño fruncido, cuando vio a la mamá en la cocina—. ¡*Tenía* que llover el único día que podíamos ir!

—¿Y por qué molestarnos por un poco de lluvia? —dijo la mamá.

—¿Quieres decir que vamos igual?

—Claro que vamos —aseguró la mamá—. Estoy segura de que despejará más tarde. Mientras tanto nos sentaremos debajo del muelle.

Lleno de alegría, Carlitos echó todas sus cosas en su bolsa, y ambos se dirigieron hacia la playa.

Ciertamente no era el mejor día para hacerlo. El cielo estaba gris, y la arena, mojada.

La mamá y Carlitos se encaminaron rápidamente hacia el muelle, debajo del cual encontraron refugio. La mamá llevó la cesta con la comida, y Carlitos su balde, su pala, su barco de vela, su pelota de playa y el resto de las cosas.

Debajo del muelle encontraron un lugar donde la arena estaba seca y la madre se sentó lo más cómodamente que pudo. Carlitos se puso el traje de baño y llevó su bote de vela al agua, que estaba muy calma esa mañana, probablemente debido a la lluvia.

Poco a poco se fue acercando donde estaba su mamá y comenzó a cavar un gran pozo en la arena.

Pronto la mamá dijo que era hora de comer y buscó la comida dentro de la cesta. Ella había preparado toda clase de cosas deliciosas como un agasajo especial para Carlitos, y él dio un grito de alegría al ver esas cosas tan ricas.

Y mientras comían, notaron que, no lejos de ellos y envueltas en frazadas, había dos ancianas que hablaban en voz alta.

—¡Qué día maldito! —se quejó una.

—¡Está espantoso! —se sumó la otra.

—Siempre llueve aquí —dijo la primera—. No sé por qué se me ocurrió venir a este lugar.

—Ni a mí —coincidió la otra—. ¡Qué lugar horrible! Tan frío y todo mojado. Lamento que hayamos venido.

—¿Y por qué se están quejando tanto esas señoras? —preguntó Carlitos a su mamá.

—Yo no sé —dijo la mamá—. Tal vez se levantaron con la "pata izquierda" esta mañana, diría yo.

Poco a poco las dos mujeres se levantaron y se acercaron al lugar donde estaban la mamá y Carlitos.

—Los hemos estado observando a ustedes dos —comenzaron—, y estamos curiosas por saber cómo ustedes dos pueden estar tan contentos en un día tan feo como éste.

—Bueno —explicó la mamá, con una sonrisa—, nos hicimos a la idea de que íbamos a disfrutar de la playa a pesar de la lluvia. Y nos estamos divirtiendo en grande, ¿verdad, Carlitos?

—¡Por supuesto que sí! —dijo Carlitos. Y entonces, como el niño que era, agregó—: ¿Por qué no vienen ustedes con nosotros? ¡Se van a divertir!

La expresión hosca de la cara de las dos mujeres desapareció. Ambas sonrieron.

—¿Podemos? —preguntaron.

—Claro que sí —dijo la mamá.

Así que arrastraron las sillas hacia donde estaban Carlitos y la mamá, y ésta las convidó a comer de lo que habían llevado.

Pronto las tres mujeres estaban platicando juntas, felices de la vida.

De repente se asomó el sol.

—¡Bueno! ¡Quién lo diría! —se sorprendió una de las ancianas—. ¡Miren, salió el sol!

—¡Así es! —asintió la mamá, aunque para ella y para Carlitos esto no era una gran novedad ya que el sol de la felicidad había estado brillando en sus amables corazones todo el tiempo.

Indice General

Indice Temático General